NİLGÜN BODUR

ŞEN GİTTİN YA BEN ÇOK GÜZELLEŞTİM

DESTEK
yayınları

DESTEK YAYINLARI: 950
EDEBİYAT: 282

NİLGÜN BODUR / SEN GİTTİN YA BEN ÇOK GÜZELLEŞTİM

İmtiyaz Sahibi: Yelda Cumalıoğlu
Genel Yayın Yönetmeni: Ertürk Akşun
Yayın Koordinatörü: Özlem Esmergül
Editör: Özlem Esmergül
Son Okuma: Devrim Yalkut
Yazar Kapak Fotoğrafı: Fethi Karaduman
Kapak Tasarım: İlknur Muştu
Sayfa Düzeni: Cansu Poroy
Sosyal Medya-Grafik: Tuğçe Budak - Mesud Topal

Destek Yayınları:
1.-50.Baskı: Haziran 2018
Yayıncı Sertifika No. 13226

ISBN 978-605-311-425-3

© Destek Yayınları
Abdi İpekçi Caddesi No. 31/5 Nişantaşı/İstanbul
Tel. (0) 212 252 22 42
Faks: (0) 212 252 22 43
www.destekdukkan.com
info@destekyayinlari.com
facebook.com/DestekYayinevi
twitter.com/destekyayinlari
instagram.com/destekyayinlari

Orient Basım Yayın
Sertifika No. 35724
İkitelli OSB Mah. Giyim Sanatkarları
5-A 6-A Blok No. 315/3
Başakşehir/İstanbul

NİLGÜN BODUR

ŞEN GİTTİN YA BEN ÇOK GÜZELLEŞTİM

DESTEK
yayınları

"Sadece GÜÇLÜLER gider... "

Nilgün Bodur // Sen Gittin Ya Ben Çok Güzelleştim

1 sene önce...

*B*iz aslında çoktan bittik. Sadece varlığımız var bizde. Hayal ettiğim hiçbir şey olmadı bu ilişkide. Çok yanlış gördüm ve bu sebeple çok yanlış yaptım. Farkında değil misin? Pimi çekilmiş bir bomba... Her an üzüntü ve her an birbirini anlamama... Nefret ettiklerimizi zorla sevdirmeye çalışma. Yalnızlık korkusuyla vazgeçememe... O, bu, şu değil... Her şey... Senin bana karşı olan duyguların. Saygısızlığın... Benim sende sevmediğim her şeyi değiştirmeye çalışmam... Bana göre yanlış insanları zorla bana kabul ettirmeye çalışman. Birey haklarımı hiçe sayman... Benim gitgide yok olmam... Sana uygun değilim... Sen de bana... Gelecek hayalim yok... Çünkü böyle bir ilişkiyi ileriye taşımak gibi bir isteğim yok... Gitgide azalıyoruz... Gitgide kopuyoruz... Gitgide yok oluyoruz... Pimi çekmiş bekliyoruz... Kalan kırıntıları toplayıp tekrar ekmek yapmaya çalışıyoruz... Ekmek olmaz... Her konuda suçlanmaktan yoruldum... Her konuda suçlamaktan da... Önümüz açık... Gelecek bizim... Yol almışız bu hayatta zorluklarla... Başka zorluğa gerek yok... Bu ilişki zor... Gitgide azalıyor... Gitgide daha az özlem... Bir aradayken tahammülsüzlüğün... Bir saat içerisinde vazgeçememekten, nefrete dönüşün... Basit insanlara "O benim kardeşim" demen... Çevrendeki herkesin benden daha iyi, daha becerikli, daha vasıflı olduğunu düşünmen... Kimseyi eksiltmek istemezken beni eksiltmen... İmparatorluk kursan bana prim vermeyeceğini bilmem... Her gidişimde yalnız bırakmakla suçlayan ama gitmemem için çabalamayan, hatta göndermek için elinden geleni yapan... Mutluyken bile "Ne zaman mutsuz olurum?" diye endişelendiğim, düzelir sandığım halde artık düzelmeyeceğini bildiğim, verdiklerinle yürütmek için bahaneler ürettiğim, gidince nankör ilan edildiğim... Alınanın, verilenin hesabını tuttuğumuz... İyilik verince, yüze vurduğumuz... İçinde huzur olmayan yüreklerimizde huzur için savaştığımız ama bir türlü kabul edemediğimiz: Biz bittik... Biz senin bir dolu hatanı, hoyratlığını, kabalığını yaşarken bittik... Sonra bende bir hata buldun... Her gün yüzüme vurdun... Oysaki sen aynı hatalara aylardır beni alıştırdın... İyiyi hak etmediğime beni inandırdın ve bu yaşta affetmelerini affedemeyen bir kadın yarattın... Her gün hangi sürprize uyanacağımı bilmiyorum... Her gün ölmek istemiyorum... Dilediğin hiçbir özür içten değildi... Olsaydı, bir daha yapmazdın... Yalnızlığıyla mutlu olan birini, yalnızlığında huzursuz yaptın... Hep istedin, verirken hesaba yazdın... Bence sen kendine âşık olduğun için, aşkı hiç tatmadın... Tatsaydın, böyle yapmazdın... Sen olma, hiç kimse olmasın, ben yalnız kalayım... Zaten seninle de çok yalnızım... İşini, kariyerini, olası servetini yalnızlığını yok etmek için kullan... Ben sadece bırak ben olayım... Soğan-ekmek yiyeyim, Etiler'de hayat sürdürmeyeyim ama lütfen sevileyim... Sevgi için, saygı için artık dilenmeyeyim... İstediklerimle yok olacağını düşünen bir adamdan azar işitmeyeyim... Her gün dua ettiğim bir adamdan şüphe hissetmeyeyim... Sen sağ ol... Ben bileyim ama lütfen yaşarken beni öldürmene izninle artık izin vermeyeyim...

"SEN
GİTTİN YA
ben çok
GÜZELLEŞTİM... "

Nilgün Bodur // Sen Gittin ya Ben Çok Güzelleştim

*B*ir sene kadar önce eşyalarımı toplayıp sessiz sedasız giderken biliyordum terk ettiğimin, terk edenim olduğunu. Gürültü çıkarmadığım, ağlamadığım, kapıları çarpmadığım, eşyaları kırmadığım için hissediyordum bu gidişin dönüşünün olmadığını. Bazı gitmeler, beceriksizce teşebbüs edilmiş intiharlar gibidir. Not bırakırsın, anlatırsın, ağlarsın... Geride kalanları acıtmaya çalışırsın. Hâlâ bir umudun olduğunu gösterir bu haber veriş, kendini özetleyiş. İşte böyle ölemezsin. Bağın varsa gidemezsin. Ben not bırakmadım giderken, çıt çıkarmadım. Çıkaracağım seslerin duyulmayacağını anladım. Gitmedim aslında kabullendim ve vazgeçtim. Kapıyı kaparken, kolundan bir tutanın olmadığında eyleminin adının terk etmek olmadığını anladım. Terk eden, terk edilmiştir. Geride bırakacağı gürültü sadece başarısız bir intihar girişimidir.

Yani gitmek bana ait bir eylem gibi görünürken, anladım ki giden sendin.

Bir sene sonra geriye bakıyorum da, sen gittin ya, ben çok güzelleştim...

İnsan en çok zamanına ve verdiklerine acıyor. Hatta bu sebeplerle bir türlü daha önce gidemiyor. Menkul kıymetler borsasına para yatırmak gibi ilişkiler. Yatırımını yaparsın. Bazen hisse senetlerinin değeri düşer. Bir gün yükselir diye beklersin. Kâr etmek istersin. Halbuki vaktinde satsan hisselerini daha az zarar edersin. Bir umutla, önce zararından kurtulmayı, hatta kâra geçmeyi bekledikçe değeri düşer gitgide. Piyasalara güven olmaz. Bu böyle. Sonra bir noktada pes edersin. Yatırdığının çok azıyla idare etmeye razı olur, için sızlayarak ve bundan kimseye bahsetmek istemeyerek satış emrini verirsin. Çevrendeki kazananlara gıpta edersin. Doğru hisseye yatırım yapmadığın için kendini affetmezsin.

İşte böyle hislerle topladım eşyalarımı. Değeri azalmış hisse senetlerimin tamamen yok olmasına gönlüm razı gelmemişti. Acaba elde avuçta kalan tekrar yatırım yapmaya yetecek miydi?

Tüm zamanımı unutmak için harcamaya karar verdim önce. Sonra dedim ki kendime, elinde kalan en değerli hissen zaman ve doğru olan, onu unutmaya değil, yaşamaya harcaman.

Böyle kocaman bir dünyada, bize verilen en güzel hediye olan zamanla, yanımda sonsuza kadar olacağını bildiğim tek kişiyi şımartmaya karar verdim. Kendimi...

Önce saçlarıma fön çektirdim. Sonra dostlarımı ziyaret ettim. Görmek istediğim şehirler vardı. Onları gezdim. Bir başkasını ikna etmek için harcadığım her bir saniyeyi kendime verdim. Okudum, izledim, dinledim ve sadece sevildiğime inandığım için sevdiğim tek bir kişiyi değil, sevilmeye layık olan her şeyi ve herkesi sevdim.

Yalnızlıktan korkarken; kendime ve hak edenlere verdiğim değerle, yepyeni bir ruh ve bedenle, kimi zaman ağlayarak, kimi zaman kahkaha atarak mutlu olduğumu hissetmemle, bir başkasının söyledikleriyle, yükledikleriyle, eleştirileriyle, övgüleriyle değil; kendi hakkımda kendi düşündüklerimle, birisi için özel olmak için değil, tüm hatalarımla kendimi kabullenmeye ve sevmeye çaba göstermemle, baktım ki ben sadece kendime sahip olduğum için bile hiç yalnız değilim.

Bir kere çok eğlenceliyim. Azıcık bilmişim, gevezeyim ve deliyim ama sıkıcı değilim. Kafam çalışıyor Allah'a şükür ama duyduğum ve gördüğüm her şeye inanacak kadar safın tekiyim. Ama böyle vallahi süperim. İnanmasam, umutlanmasam, hayal kurmasam kendimle böyle eğlenebilir miyim?

Paramı, zamanımı, duygularımı, alkışlarımı, aşkımı kendime verdim bu süreçte ve kendim gibi insanlarla karşılaştım gittiğim yol üzerinde. Sevgilim olmadı belki ama sevilmediğimden değil, kendimi sevmeyi öğrendiğimden. Ve bir sürü aşk yaşadım yolda. Kimi zaman köpeğimle, kimi zaman gördüğümle, kimi zaman özlediğimle, kimi zaman hayallerimle.

Sevilmek için başkasını sevmenin yeterli gelmediğini, hayatın en güzel hediyesi olan zamanın dinlemeye, öğrenmeye ama en önemlisi kendine harcanması gerektiğini, âşık olmak için sevişmek gerekmediğini ve bir gün tutkuyla arzulanmak için kendimi sevmemin gerekliliğini öğrendim...

Bu sabah aynaya baktım.

Ah o hüzünlüyken bile gülümseyen gözlerim, bir gün yıkamasam yağlanan ama topuzla her daim kendini kurtaran saçlarım, depresyona girip kortizol salgılayan ama belki de bu sebeple yazarak üretmemi sağlayan şaşkın beynim, sürekli titreseler de yemek yapan, çiçek diken, çamaşır asan, maske yapan, her daim manikürlü ve her daim yorgun, o narin ellerim, yemeyi seven ama yediklerini eritmek için sürekli hareket eden kafası karışmış bedenim, bazen gıybetin dibine vuran, bazen de susması için ısırılan, ama insanları mutlu edecekse hiç kapanmayan, tutarsız dudaklarım ve gülümseyince gözlerimi sıkıştıran tombiş yanaklarım...

Ben o kapıyı çekerken, terk ettiğimi sanıp da terk edilirken, son bir kez aynaya bakmıştım ama sizin farkınıza varamamıştım.

Beni affedin...

Şimdi aynaya tekrar baktım.

Bu bir sene içinde estetik ameliyat falan da geçirmedim vallahi ama çok farklı görünüyor aynadaki siluetim. Bir başka bakıyor sanki gözlerim.

Kesin olan bir şey var. Zaten herkes söylüyor.

Sen gittin ya, ben çok güzelleştim...

" Bir kitap
YAZILIYORMUŞ,
farkına
VARMAMIŞIM
yaşarken... "

Nilgün Bodur // Sen Gittin ya Ben Çok Güzelleştim

$\mathcal{K}$imilerinin de hayatı kelimelerle ve onların oluşturduğu ufak tefek cümlelerle arınıyormuş. Sanki yazınca sıradanlık yok oluyor ve yaşanan her şey kutsal oluyormuş. Yüzeysellikten ve sıradanlıktan en koktuğun anlarda yazdım hep. Çünkü yaşanan her şey çocukluğumda okuduğum bir Özdemir Asaf şiiri, bir Sait Faik Abasıyanık öyküsü, bir Yaşar Kemal romanı gibi olmalıydı. Kahkahanın tarifi, gözyaşının değeri, özlemin kederi, aşkın efsanesi olmalıydı. Yoksa nasıl yaşadım der insan? Anlatılacak bir şaheseri olmazsa, nasıl gider bu dünyadan?

Her şeyi bildiğimi sanarak başladım bu hayatın kendimi hatırladığım ilk bölümüne. Bu bölümünde ise sürükleniyorum hâlâ bilemediklerimin peşinde. Öğrenmekle ilgili telaşım cebimde, öğrenemeyeceğimi ayrımsamanın bilinci ise tüm hücrelerimde.

Başkalarının yerine kendimi koyarak başladım öğrenmeye. Dinleyerek biriktirdim anlatacaklarımı. Birkaç bıçak darbesi alınca, yitirdim güvenimi ve güvenimle birlikte tüm inancımı. Hep bir mucizeye inandım ve nefes almanın mucizesini nefesim kesilince anladım. Kimi zaman bir aşk, kimi zaman bir ihanet, kimi zaman bir düş kırıklığı, kimi zaman bir ödül, kimi zamansa derin bir acı kesti nefesimi. İşte ben o anlarda nefesimi geri alabilmek için çabaladım.

Çıktığım zirveden kimi zaman yuvarlanarak, kimi zaman tekme tokat, kimi zamansa frene basarak indim. Düştüğüm çukurdan kimi zaman tırnaklarımla, kimi zaman inancımla, kimi zaman elimi tutanla çıktım yukarı. Ama o nefesi sonunda hep aldım. Ama tek bir düzlemde kalamadım. Bir şiir, bir hikâye, bir roman yaşamak için yaşayan biri nasıl aynı yerde durabilir ki?

Ben kimi zaman yaşamak, kimi zaman yazmak için yaşadım. Başka kitaplarda kurulan güzel cümleleri kıskandım. Ama başkalarıyla değil, kendimle yarıştım. Kendime dişimle tırnağımla bir hayat kurdum. Hani derler ya, en sonunda yaşadığım her şeyi kitabına uydurdum.

Şimdi sen gidiyorsun ya
Hemen çıkarsan çok sevinirim.
Sinemaya gideceğiz kızlarla.
Bugün cuma...
Şimdi sen gidiyorsun ya
Beni de yolda atarsan sevinirim.
Bak, benzin paran yoksa söyle, veririm.
Şimdi sen gidiyorsun ya
Herkes sana benzeyecek sanıyorsun.
Şiir o canım, benzemez korkma.
Şiir kim, sen kim?
Sen daha, dahi anlamına gelen "de"leri ayıramıyorsun...
Şimdi sen gidiyorsun ya
Tutmayayım.
Trafik olur.
Yan yolu kullan en iyisi.
Senin gibi "boş" olur...

"İçindeki
KÜÇÜK KIZIN
saçını okşamayı
UNUTMUŞ HER KADIN,
İMKÂNSIZI
başarabilecek
BİR KAHRAMAN
olduğunu
HATIRLAYAMAZ... "

Nilgün Bodur // Sen Gittin ya Ben Çok Güzelleştim

*E*n son ne zaman içinizdeki küçük kızın saçını okşadınız? Ben bugün sevdim kendisini. Yanağından bir makas aldım. Komşunun kızının Barbie bebeklerini kıskanırdı içimdeki küçük. Onun tek oyuncağı bakkal Necdet Ağabey'e veresiye yazdırarak aldığı şekerlerin içinden çıkan plastik minicik tabaklar, tencereler, bardaklardı. Bir de özenle biriktirdiği bozuk paralardan kuleler yapardı. Ya aşçılık ya da bankacılık oynardı.

Ama ne olursa olsun ille de komşunun bebeklerinin saçını tarama iznini almayı başardığında bir başka coşardı içi.

Bugün konuştuk biraz. Kırgın gibiydi. Kızgın olamazdı. O sadece kırılırdı. "Ne oldu?" dedim.

"Hayallerim vardı" dedi. "Seninle ilgili. Büyüyünce çok çalışıp para kazanacaktın. Kendini ve aileni kimseye muhtaç etmeyecektin. Hayalini kurduğun ve alamadığın her şeyi alacaktın. Bir köpeğin olacaktı. Dünyayı dolaşacaktın. Görmek istediğin her yere gidecektin. Sonra içinden gelen her şeyi yazacaktın. Komşun Yaşar Kemal Amca'ya söz vermiştin. Becerebilirsen yazar olacaktın."

"Tamam" dedim. "Hepsini yaptım. Çok okudum, çok çalıştım. Bunların hepsini yaptım. Sen niye böyle kırgınsın?"

"Hayallerimle mutluydum ben" dedi küçük Nunu. "Gerçekleşmediğinde peşinden koşmak, gerçekleştiğinde ise yenisini kurmak. Yenildiğim her an, hayal ettim ben senin için ve sen bugün karşıma geçmiş, 'Artık oldum' diyorsun. Hayal kurmayı unutuyorsun. Hayatın içinden geçip gidiyorsun. Biz böyle miydik? İmkânsızları başardık birlikte. Ben hep yanındaydım. Şimdi ise hayallerinle birlikte beni de unuttun."

Sımsıkı sarıldım küçük Nunu'ya... "Hep böyle kal" dedim. Onu hiç bırakmak istemedim. Tombiş yanaklarına ve kocaman gözlerine bakınca, onun gibi bir kızım olsun istedim. Pes etmek aklına gelmezdi onun. Yanmayı severdi, küllerinden doğacağını bilirdi. Her doğduğunda daha da güzelleşirdi. Ve onu böyle yapan sadece umutla kurduğu hayalleriydi.

"Ver elini bana" dedim. Seni bir daha hiç bırakmayacağım. Nefes aldıkça hayal kuracağım. Değişmeyeceğim, sadece dönüşeceğim. Hatalı, tutarsız, kaprisli, kafası karışık olarak kalacağım belki ama asla yorulmayacağım. Elimden tutmaya devam edersen ben hiç bozulmayacağım.

Sen her şeyin en iyisine layıksın. Ben de sana layık olacağım. Gözümün önümde ol ki, seni merak etmeyeyim. Hayallerini bana bırak. Ben hepsini hallederim. Al şu sarışın pembe elbiseli Barbie bebeği. Ödeşelim. Seni bir daha düş kırıklığına uğratırsam, namerdim...

66 Lastikli tokam
GİBİSİN HAYAT.
İki kere dolanınca bol,
üç kere dolanınca
DAR GELİYORSUN.
Arayı buldurmuyorsun. **99**

Nilgün Bodur // Sen Gittin ya Ben Çok Güzelleştim

*H*ayat...
Sen mi büyüksün, ben mi?

Lastikli tokam gibisin hayat.

İki kere dolanınca bol, üç kere dolanınca dar geliyorsun.

Arayı buldurmuyorsun.

Cam kenarında oturmak isteyenleri, hep arka lastik üzerinde yolculuk ettiriyorsun.

İstediklerim gidiyor, sen istediğim gibi gitmiyorsun.

Herkes yüreğinin ekmeğini yer diyorsun, sonra glüten ödem yapıyor diye diyette ekmek vermiyorsun.

Brüksellahanasına iğrenç, tahin ve pekmeze muhteşem bir tat veriyorsun.

Üç günlük dünya diyorsun, ilk günden anlamamıza izin vermiyorsun.

Ne anladım ben son gününde anladığım hayattan?

Var olan zekâsıyla hayatta kalması imkânsız olan insanlarla bizi sınıyorsun. Özür de dilemiyorsun.

Yüzümü güldürmeyi bir yana bırak, şöyle güzelce bir gıdıklamıyorsun.

Sürprizlerle dolu olduğunu söylüyorsun, gece yarısı kapıyı çaldırdığınla bir fincan şeker istetiyorsun.

Şeker de yok ki bende. Hurma kullanıyorum yerine.

Hayaller Maldiv'ken, beni Mahmutbey trafiğiyle test ediyorsun.

Şeyma Subaşı'yı özel jetle düğününe gönderip, maskesini evde yapan, yoğurdunu bile kendi mayalayan kadını üzüyorsun.

Sanki şansını fazla zorluyorsun.

Vallahi bak buraya yazıyorum.

Sonunda gülen ben olacağım.

Bunu da çok iyi biliyorsun.

Sabrımı sınarken çok eğleniyorsundur diye sesimi çıkarmıyorum.

Çünkü hissetmişsindir, ben seni bu halinle bile çok seviyorum...

" YAŞAMIN SIRRI
probiyotikte değil,
HUZURDA... "

Nilgün Bodur // Sen Gittin ya Ben Çok Güzelleştim

Sağlıklı yaşam dediğin şey
bin derdinin arasında
önce günü güzelce bir selamlayıp
meditasyon falan yapıp
kefirle muzu blendırda çırpıp
dört yumurta beyazıyla kahvaltı edip
bir saat yürüyüş yapıp
avokado kemirince olmuyor...
Sözlerine değer vermeyenleri
enerjini emenleri
teşekkür etmeyi ve özür dilemeyi bilmeyenleri
gücüyle seni ezenleri
edepsizliğiyle seni sessizleştirenleri
verdiği ekmeği sana zehredenleri
şişmiş egolarıyla kendilerini dünyanın merkezi zannedenleri
ve seni yerip yerip gerenleri kapı dışarı edince oluyor.
Huzurun yoksa, probiyotik kullanma boşuna...

"ÇOK GÜZEL şeyler var YAŞANACAK, ölme yeter..."

Nilgün Bodur // Sen Gittin ya Ben Çok Güzelleştim

Çok hata var yapılacak, aynı hatayı yapma yeter
Çok insan var sevilecek, yanlış olanı sevme yeter
Çok yer var gidilecek, olduğun yerde kök salma yeter
Çok zafer var gurur verecek, birinin kanını dökme yeter
Çok karar var verilecek, pes etme yeter
Çok anı var biriktirilecek, geleceği unutma yeter
Çok ekmek var bölünecek, lokmanı kendine saklama yeter
Çok başarı var görülecek, kölesi olma yeter
Çok nefes var alınacak, sonuncusunu verirken pişman olma yeter.

**" Karmaşık olan
MATEMATİK DEĞİL,
sayılara verdiğimiz
DEĞERLER... "**

Nilgün Bodur // Sen Gittin ya Ben Çok Güzelleştim

Sadece "bir" hayatımız var ve biz özenle içine ediyoruz.

"Üç" günlük dünyada, her gün canımızı sıkıyoruz.

"Beş" para etmez insanlar için, ömrümüzü tüketiyoruz.

"Yedi" kat ele yaranmak için, kendimizden ödün veriyoruz.

"Dokuz" köyden kovulacağız diye, doğruyu da konuşamıyoruz.

Oysaki bir kahve yapsak, "kırk" yıl hatıra sayacak güzel insanlar var.

Azla cebelleşirken, çok olanı kaçırıyoruz.

Biz oldum olası şu kahrolası matematiği bir türlü çözemiyoruz...

" Ben yaptığımı çok iyi
YAPTIĞIM İÇİN DEĞİL,
yaptığım kadarıyla
MUTLU OLDUĞUM
için seviyorum.
SEN YAPAMAZSIN
diyenlere de buradan
SELAMLARIMI
GÖNDERİYORUM. **"**

Nilgün Bodur // Sen Gittin ya Ben Çok Güzelleştim

$\mathcal{N}$e kadar çok merakım var bu hayata. Başkalarına değil ama yeni heyecanlara. Sağlıklı yemekler yapıyorum, maskeler uyduruyorum, denemeler yazıyorum, tek kalmış bardakları, kapları atmıyorum, onları değerlendirip kokulu mumlar yapıyorum, geniş bir kâse bulursam içinde kaktüslerden peyzaj çalışmaları yapıp, 20. kattaki dairemde kendi bahçemi yaratıyorum. Bu sebeple başkaları ne yapıyor, hiç merak etmiyorum. İlginç olan, hiçbirini çok iyi yapmıyorum. Ama yaptığım kadarından büyük zevk alıyorum.

Hiç profesyonel ışıkta ve profesyonel açıyla çekemedim mesela şu maske videolarını ve Instagram'da kötü görünmeyi başaran tek kadın olarak tarihe geçtim. Millet evrim geçiriyor kullanılan teknolojilerle, ben hâlâ Japon balığı kıvamında yer alıyorum sosyal medya arşivlerinde.

Yemek yapmaya bayılıyorum ama ellerim öyle beceriksiz ki, o canım soğanı televizyondaki şefler gibi havalı, şöyle takır takır doğrayamıyorum ama sonuçta yaptığımı büyük iştahla yiyorum.

Yazıyorum dedim ya, roman yaz deseniz böyle far yemiş tavşan gibi gözümü kırpmadan bakar kalırım size. Ben kendimi iyileştirmek için yazıyorum. Uzun uzun yazarsam hemen iyileşemem diye korkuyorum.

Atarımı, sıkıntımı, aşkımı, neşemi, umudumu, hayallerimi ve bana yanlış yapanları ortaya bırakıp olay mahallinden hızla uzaklaşıyorum. Bir daha yazmazsam edebiyat dünyası acı çeker mi? Sanmıyorum.

Bir de bu aralar şarkı söyleyesim var. Ona da sararsam diye çok korkuyorum. Şimdilik İstanbul trafiğinde stres atmak amaçlı arabamda bildiğin şakıyorum. Ne yaparsam yapayım, mükemmel olduğum için değil, keyif aldığım için yapıyorum.

Kimse de dur demiyor.

Üç oktav sesim olmasını bekleyemem şarkı söylemek için, binlerce kitap okuyamam, içimden geleni yazmak için, aşçılık okuluna gidemem, evde muz ve yumurtayla pancake yapıp afiyetle yemek için.

Ben yaptığımı çok iyi yaptığım için değil, yaptığım kadarıyla mutlu olduğum için seviyorum. Sen yapamazsın diyenlere de buradan selamlarımı gönderiyorum. Onlar konuşuyordu, ben o sırada yapıyordum. Ne söylerlerse söylesinler, bir türlü duyamıyordum. Çünkü yaptıklarımla mutlu olmakla fazlasıyla meşguldüm...

"BİRİ BENİ
15 Şubat'a
IŞINLASIN... "

Nilgün Bodur // Sen Gittin ya Ben Çok Güzelleştim

𝒱allahi de geliyor. Yarın bana her dakika bir saat, her saat bir gün gibi gelecek. Sen o kadar botoks, lazer, kalıcı oje, takma kirpik, microblading yaptır. Evde sabah akşam sebzeyi, meyveyi, kahveyi, yumurtayı, chia'nın rızkını suratına sür. Sporda 70 kg ile bacak, 10 kg ile göğüs bas. Elektrik akımlarıyla spor yap. Avokado soslu kabak spagetti gibi sağlık timsali tabaklarla beslen. Fönsüz gezme. Takıp takıştır.

14 Şubat'ta evde tek başına patates gibi otur diye düşünürken dolaptaki patates ile göz göze geldim. Bıçağı alıp orasını burasını deldim. Sonra bir güzel haşladım. İçine 3 yumurta kırdım. 1 kaşık da yoğurt ekledim. Tuz, karabiber ve bir diş sarmısakla rondodan geçirdim. Yağsız tavada arkalı önlü pişirdim. Evde kalan son patates sanıyordum kendisini. Sonra aynaya baktım. Yanıldığımı anladım. Birileri bir şeyler yapsın. Millet uzaya araba bile yolluyor. Biri de bir zahmet beni 15 Şubat'a ışınlasın.

Yarına çıkamama ihtimaline rağmen
32'li tuvalet kâğıdı indirimdeyken
en az iki adet stoklamaktır hayat.
Sonucu bilip, uzakta olduğunu düşlemektir
bu üç günlük dünyada asıl sanat.
Her şey size anlamsız göründüğünde
evdeki tuvalet kâğıtlarını sayın.
Ne kadar çoksa, o kadar umutlusunuzdur.
Hiç yoksa da üzülmeyin.
Belki yaşarken unutmuşsunuzdur.

**" YA YARINA ÇIKMAZSAM
deyip Nutella,
YA ÇOK UZUN
yaşarsam deyip
avokado da yiyeceksin
BU HAYATTA...
Gelgitlerimize kurban olayım.
HER ŞEYDEN TAT ALMA
hakkı veriyor insana... "**

Nilgün Bodur // Sen Gittin ya Ben Çok Güzelleştim

*Y*ine su buharında muffin yaptım. Bu kez tuzlu. Sağlıklı yaşama elden geldiğince devam... Tam 3 porsiyonluk tarif vereceğim şimdi size. Bu hafta resmen kendim için yaşamanın dibine vurdum... Ensülin direnciymiş, kortizol yüksekliğiymiş hepsi gider insan kendi için yaşayınca. Hep şu içine ettiğim bilinçaltı çöplüklerimiz ve kötü enerjilerle kirleniyor olmamız yapıyor bunu bize. Ama ben bildiğim yoldan şaşmam. Arada sapıtıp bir kavanoz Nutella, arada da salon kadını kimliğime bürünüp su buharında avokadolu muffin... Ya yarına çıkmazsam deyip Nutella, ya çok uzun yaşarsam deyip avokado... Gelgitlerimize kurban olayım... Adama geceleri havuç da kemirtiyor, bir büyük rakı da devirtiyor...

İnsan olmak işte bu yüzden hoşuma gidiyor. Yaptırdım mis gibi lazerimi, eve gelip doyasıya öptüm köpeğimi, şimdi de mideye indireceğim ellerimle yaptığım bu bebeği...

Vereyim mi tarifi?

1 olgun avokado

50 gr lor peyniri

3 yumurta (anaları serbest gezenden yani diğer bir tabirle toplumumuzun gözünde yollu piliç yumurtası)

3 yemek kaşığı rondoda un haline getirdiğim kinoa (hazırları da var)

1 kabartma tozu

Alabildiğince baharat: kırmızı toz biber, karabiber, az zerdeçal, kimyon, yenibahar, garam masala (ne bulduysam koydum tuz hariç)

Rondodan geçirdim. Fırın kaplarının içine döküp üzerlerini az rende kaşar ve çörekotuyla süsleyip tencerede kaynayan suya yerleştirdim. Su, kabın yarısına kadar gelse yetiyor. Kapak kapalıyken 20 dakikada pişti.

**" HAYAL KURMAK,
masallara inanmak
demek değildir... "**

Nilgün Bodur // Sen Gittin ya Ben Çok Güzelleştim

*Ö*nce prensin öperek uyandırmasını bekledik.

O cüceleri boşuna mı besledik?

Ormanda "On dört kollu bir deviz!" diye hava atıyorlardı.

Sonra prens bulamayınca kurbağaları öpelim dedik.

Prenses olsak prens çok da

biz kadınız değil mi?

Uyanmak için alarm kurmamız yeterli.

Alarm çalınca da öpeceğimiz adamı biz seçeriz.

Ayağımıza ayakkabıyı uydurunca bizi baş tacı yapan adamı da direkt evine göndeririz...

Kör mü keriz?

66 Kalkın çabuk.
YENİDEN
başlıyoruz... **99**

Nilgün Bodur // Sen Gittin ya Ben Çok Güzelleştim

*B*iz ne ara böyle yorulduk?

Komşu çocuğu gibi, kendi evinde uslu oturup, bize gelince, hayatımızı dağıtıp gidenlerin arkasını toplarken mi?

Gönlünde yer olmayanların kalbinde, arka saflarda sıkışıp, ayakta yol alırken mi?

Eceliyle ölmüş olamaz dediğimiz hayallerimiz için otopsi talep ederken mi?

Kahvenin bile ikisinin bir arada olmasına gıpta edip, yalnızlıktan şikâyet ederken mi?

Ayıp ayıp...

Kalkın çabuk. Yeniden başlıyoruz...

"NEYE İNANIRSAN O,
senin için kolaylaşır.
'İNANCI UĞRUNA ÖLDÜ'
DERLER YA, YALAN.
İnsan, inancı uğruna
YAŞAMAKTADIR. "

Nilgün Bodur // Sen Gittin ya Ben Çok Güzelleştim

İnan.
İnanmak tutar insanı ayakta...

Kimi sevildiğine inanır, kimi büyük şeyler başaracağına, kimi evladına, kimi geleceğin güzel olduğuna ve kimi de Allah'a...

Kimi Jennifer Aniston'la Brad Pitt'in tekrar barışacağına, kimi eski aşkının arayacağına, kimi lotoyu kazanacağına, kimi Fenerbahçe'nin şampiyon olacağına, kimi de babasının tekrar sağlığına kavuşacağına...

Kör göreceğine, sağır duyacağına, kötürüm yürüyeceğine, ağlayan güleceğine inanır...

Mucizelere inanmak insanın insanlığıdır. Yoksa her gün aynı döngüde nasıl yaşanır?

İnsan, önce sabah kalkıp da nefes aldığını gördüğünde, toplantısına geç kalmayacağına, patrondan bir ara "aferin" alacağına, akşam eve geldiğinde misafire yaptığı kekin kabaracağına, sohbetin güzel olacağına inanır.

Mucizeleri hep geleceğe bırakır. Çünkü insan, en az gördüğüne hep en çok inanır...

Ve inandığı sürece genç kalır, inanmayınca yaşlanır...

Yapacağına inanır bazen. Bazen de yapamayacağına. İkisinde de haklıdır.

Çünkü neye inanırsan o, senin için kolaylaşır. İnancı uğruna öldü derler. Yalan. İnsan, inancı uğruna yaşamaktadır.

Gördüğümüze inandığımızı sanırız. Yanılırız. Biz bu hayatta aslında inandığımızı bir süre sonra görmeye başlarız.

Bir kere inandık mı, her engeli, tüm dünya bize aksini ispatlamak için seferber olsa da aşarız.

Kısacası en büyük inanç, kişinin kendine duyduğudur. Sen kendine inandın mı, diğerleri de inanır.

Ve yapacaklarını yapmak için sadece sabah kalktığında nefes aldığını bilmek yeterli olacaktır.

Sevelim, uğurböceklerinin uğur getireceğine inanan güzel kalplerimizi. Bir türlü inanamadığımız o mucizelere, sadece inandıklarımız götürecek bizi...

" Satın aldığımızı sandığımız
BİRÇOK ŞEY VE ONAYINA
muhtaç olduğumuz
HER İNSAN ASLINDA
bizi satın almaktadır. "

Nilgün Bodur // Sen Gittin ya Ben Çok Güzelleştim

$\mathcal{M}$addi ve manevi çıkarlarımız için bizi kendimiz olmaktan vazgeçiren her bedel onlara ödediğimiz değil, bizim kendimiz için belirlediğimiz fiyatımızdır.

Satın aldığımızı sandığımız birçok şey ve onayına muhtaç olduğumuz her insan aslında bizi satın almaktadır.

Sahip olmayı ya da diğerlerinin önünde takla attığımız için sevilmeyi başarmak mı sanıyoruz?

Yanılıyoruz.

Tüm eksiklerimiz ve hatalarımızla biz, biz oluyoruz.

Başkası olarak, başkaları için tüketeceğimiz gülümseten bir ömür yerine, kendim olarak ağladığım bir saati yeğlerim.

Çünkü bir diğerinin onayıyla kahkaha atmaya, kendim olarak akıttığım her gözyaşını tercih ederim.

Ben iyi ya da kötü olmak için değil, kendim kalabilmek için bedel öderim.

Kimseye kalmayan bu fani dünyada, bari fiyatımı kendim belirleyeyim dedim.

Kusura bakmayın anacığım. Satılık değilim.

**"SEVMEYENLER İÇİN
sevenleri üzdük ya,
MÜSTAHAK HEPİMİZE... "**

Nilgün Bodur // Sen Gittin ya Ben Çok Güzelleştim

*A*h siz erkekler!

Instagram'dan sizi silen kızlar için, evde yer silen...

Göğüslerine silikon yaptıran kızlar için, yoğurdunu bile kendisi mayalayan...

Geceleri evinde oturmayan kızlar için, koltuğunda oturup kitap okuyan, yumurta kıramayan kızlar için, bulaşık yıkamaktan tırnaklarını uzatamayan kızları üzdünüz.

Ah biz kadınlar!

Spor arabasıyla, trafiği bahane edip bizi almaya gelemeyen erkekler için, metrobüse binip beş dakika için de olsa yanımıza gelen...

Spor salonunda kas büyüten erkekler için, cumaya gidip tüm sülalemiz için dua eden...

Çevrimiçi olup cevap vermeyen erkekler için, iki duble içince sesli mesajla bize şarkı söyleyen erkekleri üzdük...

Müstahak hepimize...

SALLAMA İNSANLAR YERİNE, demlenmiş insanlarla **SOHBET ETMEYİ** tercih ettiğimden beri **ACIMIYOR CANIM...**

Nilgün Bodur // Sen Gittin ya Ben Çok Güzelleştim

*Y*aptığına üzüleceğim herkesin yokluğuna üzülmeyi
içime atıp, hafızayı dolduracağıma; gönlümdeki albümleri bir bir temizlemeyi

tezek bile toprağa katıldığında fayda sağlarken, dünyaya hiçbir faydası olmayanlardan uzakta yürümeyi

insanların ne istediklerini bilmeyen yanlarıyla savaşmak yerine, varoluşumun zaferiyle böbürlenmeyi

yoğurt katsan bile cacık olmayacaklar için kendimi üzmemeyi

el âlem ne der diye düşünmek yerine, can kulağıyla kendimi dinlemeyi

mezardakilerin pişman olduğu hiçbir şey için, kendimi yememeyi

sallama insanlar yerine, demlenmiş insanlarla sohbet etmeyi tercih ettiğimden beri acımıyor canım...

Acıtan çıkarsa, takibi bırakır; üstüne bir de bloklarım...

" GEL OTUR YANIMA.
Kalkarız bir ara
YAŞLANINCA... "

Nilgün Bodur // Sen Gittin ya Ben Çok Güzelleştim

*D*avetsiz gelen, döşeksiz otururmuş. Ben de, bu kez öyle oturdum... Oturarak başarıya ulaşan tek şey de tavukmuş ama yine de o yumurta, kendisi serbest gezince güzel olurmuş... Vallahi bu hayattaki ikilemlerden yoruldum... Gel sen de otur yanıma, kalkarız bir ara yaşlanınca... Hemen kalkmamı isteme ama, daha yeni çay koydum... Seninle bozuşmak da istemem, çünkü ben daha çay bile içmeden, sana fena göz koydum.

Konum atmış olsam bile,
sakın vazgeçtiğim anda gelme...
Umumi Wi-Fi misali
bağlanması kolay görünüp, sonradan çekmeyip,
beni sakın germe...
Beni
WhatsApp ses kaydı gibi çabasız
bazı emojiler gibi anlamsız
bayramlardaki toplu mesajlar gibi ruhsuz
ve Instagram fenomenleri gibi tutarsız sevme...
Olur ya beni üzersin, sonra neden bloklandım diye yerinme...
Peşin peşin söylüyorum, ahımı alırsan,
"like"ların azalır; demedi deme...

" Göz göze bakmanın
VERDİĞİ HAZZI
grup selfieleriyle
TAKAS EDEREK
YALNIZLAŞTIK... "

Nilgün Bodur // Sen Gittin ya Ben Çok Güzelleştim

$\mathcal{K}$ısa sürede hem de. Sadece yirmi yıl içerisinde kazandığımız her şey, kaybettiğimiz bir duyguya denk geldi. Yitirmeden, kazanabileceğin tek şey para bu dünyada. Duygularımızı yitirmeden büyümeyi bir türlü beceremedik. Her gün kendimize bir şeyler eklediğimizi sanırken, aslında tükendik. Zor olan mutluluk değil. Her şeyi kolaylaştırırken, zorlaştırdık.

Eskiden Nokia 3310'larımızla "yılan" oynarken aldığımız hazzı, bugün 3D gözlüklerle oynadığımız oyunlar bile vermiyor artık.

20 yıl önce, internete girerken çıkan abuk sabuk bağlantı sesinin verdiği heyecanı, komşunun Wi-Fi şifresini kırmak bile vermiyor artık.

İlk Hotmail uzantılı e-posta adresini oluşturduğumuzda duyduğumuz gururu, havalı bir WhatsApp grubunun admini olmak bile sağlamıyor artık.

Zarf içerisinde fotoğrafçıdan aldığımız tabedilmiş fotoğraflara ilk kez bakarken yaşanan sevinci, hiçbir iPhone-X derinlik efekti kullanılarak ön kamerayla çekilmiş ve filtrelenmiş fotoğraf yaşatmıyor artık.

1 MB kapasiteli "floppy disk"lerle bilgisayara aktarılan word dosyalarının verdiği tatmini, promosyon amaçlı dağıtılan 64 GB kapasiteli, hiçbir "flash" bellek vermiyor artık.

Cep telefonunda arayan numarayı göremediğimiz dönemlerde telefon çalınca duyduğumuz merakı, hiçbir Facebook dürtmesi, WhatsApp emojisi ya da Instagram dm'si uyandırmıyor artık.

Televizyonda "Avrupa Yakası" izlemenin ve ertesi gün işyerinde sahneleri hatırlayıp tekrar gülmenin salgıladığı endorfini, hiçbir YouTube fenomeni salgılatmıyor artık.

Heyecansız, sürprizsiz, bilgiye kolay ulaştığımız konforlu yaşamımızda her şeyin bu kadar kolay olması sebebiyle zorlaştık.

Annemizin mercimek çorbasından tereyağını çıkarıp, yerine zerdeçal koyunca elde ettiğimize inandığımız sağlıklı ve mutlu yaşamı, duygularımızla takas ederek yozlaştık.

Göz göze bakmanın verdiği hazzı grup selfieleriyle takas ederek yalnızlaştık.

Teknolojiyi ve konforu, sanki çok bencil olmak için kullandık. Telefonu uçak moduna alınca meditasyon yapıyoruz sandık.

Birbirimizle iletişim bu kadar kolay olunca kalabalıklaşırız sandık, oysaki işte tam orada tek başımıza kaldık.

Herkese ve her şeye ulaştığımızı düşünürken, fena çuvalladık.

66 KİM NE DER DİYEREK
yaşayamadık ağız tadıyla
BİZİ İNSAN YAPAN
tüm yanlışlarımızı... **99**

Nilgün Bodur // Sen Gittin ya Ben Çok Güzelleştim

$\mathcal{K}$im ne der diyerek yaşayamadık ağız tadıyla bizi insan yapan tüm yanlışlarımızı.

Biz ki, hata yapmamak üzerine kurulmuş hatalı bir düzenin en cengâver mihmandarları...

Aslında en çok biz bildik, onların söyleyeceklerinin, bizim onlara söyleyebileceklerimiz olduğunu...

Ve tercih ettik bu korkuyla, eleştirilen olmak yerine, eleştiren olmayı...

En başta biz ürettik başkalarının bizim için sahip olduğuna inandığımız tüm önyargıları.

Biz keşfettik hata yapana acımasız davranmayı...

En sonunda öğrenmek zorunda kaldık acılar içerisinde tüm yanlışlarımızı doğru yapmayı...

Bu sebeple yaşayamadık bize hediye edilen bu hayatı.

"Kim ne derse desin" diyerek isyan ettik zaman zaman ama hep çekindik yanlış yapan olmaktan.

Ağız dolusu gülemedik, hesap yapmadan sevemedik, başkalarını düşünmeden ölemedik...

Yanlışı ve doğruyu hep biz belirledik. Oysaki doğru dediğimiz bizim seçtiğimiz, yanlış ise onlarınkiydi... Hata dediğimiz her şey bir diğerinin farklı seçimiydi. Oysaki yanlış yok bu hayatta. Yalandan, hak yemekten, hırsızlıktan, can almaktan ve insan yargılamaktan başka...

"Kim ne der?" cümlesinin içindeki "kim" biziz...

Ötekini yargılamaktan vazgeçersek, hepimiz kendi seçimlerimizden ibaretiz.

Kariyerimiz, ailemiz, zenginliğimiz, fakirliğimiz, çaresizliğimiz, güvensizliğimiz, sevgilimiz, mutsuzluğumuz, yalnızlığımız, korkularımız, savurganlığımız, öfkemiz, acımız, sancımız, gözyaşımız, nefretimiz, hep bizim tercihimiz...

Nefes almaya devam etmekten başka bir sorunumuz yok aslında. Onu da "Kim ne der?" diye düşünerek zar zor alıyorsak, niye yaşıyoruz bu dünyada? Tek başına doğuyorsun ve tek başına gidiyorsun... Kim ne demişse sana, giderken hatırlamıyorsun. Gün geliyor başkasının yanlışı, senin doğrun oluyor, şaşırıyorsun... Ne olur unutma, sen tek başına nefes alıyorsun. Başkasının tükettiği nefesi niye takıyorsun? Sen, senin her şeyinken, niye ötekini bir şey sanıyorsun? Allah'ın verdiği canı, Allah alacak... Level atlayınca can da vermiyor "hayat" denen bu oyun. Sen niye yegâne canını başkasının sözleriyle böyle sıkıyorsun?

Makyajı akıyor kişiliğinin.

Ruhuna da o rimeli düzgün sürememişsin.

Botoksu da gitmiş asaletinin.

Herkese benzemişsin.

Duygularına sürdüğün ruj mantığına bulaşmış.

Hesap yaparken görmemişsin.

Dürüstlüğüne de pembe allık çok olmuş.

Kendine bile yalan söylerken hissetmemişsin.

Parfümü de ağır gelmiş adaletinin.

Haksızlık yaparken fark etmemişsin.

Aynaya bakınca kendini beğenip

bakmadığında içini bir türlü görememişsin.

" SIRADANLIKLARINI
farklılaştırdığında,
SIRADAN OLMAYAN
bir dönem başlar... **"**

Nilgün Bodur // Sen Gittin ya Ben Çok Güzelleştim

$\mathcal{B}$ugün kendime tencerede yine kaynar suya oturttuğum bir kap içinde ve buharda omlet yaptım. Yumurta, peynir, maydanoz ve baharat. Başka numarası yok. Önemli olan her gün yediğin omleti başka yemek. İkiboyutlu, düz bir omlet yerine, böyle yumuşacık üçboyutlu bir omlet yemek farklı keyif. Yoksa hep aynı 24 saate, aynı omleti yiyerek başlamak gerekiyor ki, o işte bana uymuyor. Bir yumurtadan yüzlerce farklı lezzet yaratmak lazım, değil mi ama? Gün aynı gün. Pazar aynı pazar. Ama omlet farklı olunca, benim içime bir umut dolar. Kendime sürpriz yapmazsam, kim yapacak? Kendimi şımartmazsam, kim şımartacak? Kendimi onaylamazsam, kim onaylayacak? İşte böyle başladım güne. Gölette yürüyüş yaparken sokak köpeklerini okşadım. Chia'yı salıncakta salladım. Kendime su buharında omlet yaptım. Ve işte bahar kokan pazar günü. Sana hazırım. Belki bir de akşamüstü âşık olur, seni bile şaşırtırım.

Havalara bak havalara, sanki Instagram isminin sonunda "official" var, sanki onlarca fan sayfası, adına açılmış yüzlerce fake hesap var... Havalara bak havalara, sanki evde köpek yerine jaguar besliyor, her gün elektrik süpürgesi açıp, lavabo ovmuyor. Havalara bak havalara, Instagram fenomeni olmuş ama kendini "Nobel Barış Ödülü" almış sanıyor. Savaşlar durdurmuş, canlar kurtarmış gibi bakıyor. Havalara bak havalara, iki filtre atınca kendini matah bir şey sanıyor...

"Bize her gün
KADINLAR GÜNÜ... "

Nilgün Bodur // Sen Gittin ya Ben Çok Güzelleştim

𝒦adının kendinden başka hiçbir güce ihtiyacı olmadığını anladığı...

Susmak yerine "deli" dense de tepkisini kendisine yapılan tüm haksızlıklara korkmadan gösterdiği...

"Erkektir, yapar"a inanmak yerine "Kadındır, yapar"a tüm toplumu inandırdığı...

"Erkeğin elinin kiri" ya da "başının tacı olmak" yerine kimsenin bir şeyi olmak gibi bir derdinin olmadığı...

Başka kadınların başarılarını, varlıklarını, aşklarını, hayatlarını kıskanmak yerine, kendisinin başarılı olduğu, başkalarını tehditmiş gibi görmek yerine herkesi kardeş gördüğü...

Başarıyı güzel ya da zengin olmak değil, özgür olmak, söz ve kişilik sahibi olmak ve iyi insan olmak şeklinde tarif ettiği gün, hadi bugün olsun.

8 Mart Dünya Kadınlar Günümüz kutlu olsun!

66 Kadındır kendi gücünü
BİLMEYEN AMA
tüm dünyayı
SIRTINDA TAŞIYAN... **99**

Nilgün Bodur // Sen Gittin ya Ben Çok Güzelleştim

Şimdi eğri oturup doğru konuşalım.

Kadınlar erkeklerden daha güçlüdür. Bir kere kan görünce bayılan kadına rastlamadım. Çünkü kadın her ay kanar. "Kirlendim" der. Temizlenmiştir oysaki. Çünkü doğanın ona sunduğu her gizem ve her güç Yaradan'ın ona hediyesi.

"Erkek gibi kadın"ın başındaki erkeğin kadını güçlü diye sıfatlandırması, "kadın gibi erkek"in başındaki kadının, erkeği güçsüz yapması, sadece bu sebeple bile büyük ironi.

Kendi gücümüzü bilsek bu denli onay bekler miyiz?

Kadındır hem şefkat gören, hem de şefkat gösteren.

Kadındır çalışıp ayakları üzerinde duran ama yanındaki erkeği ezmeyen.

Kadındır dokuz ay karnında evladını taşıyan ama tırnağı kırılsa canı sıkılan.

Kadındır kendi gücünü bilmeyen ama tüm dünyayı sırtında taşıyan.

Kadındır iki silikon taktırıp adam kafesleyen ama kanser olup iki göğsünü kaybedince de tüm hayatı geldiği gibi göğüsleyen.

Kadındır kendi hastayken çocuğuna, kocasına yemek hazırlayan ama sevdiği hasta olduğunda onu yerinden kıpırdatmayan.

Kadındır en büyük dostu kadının ve düşmanıdır eğer kendi gücünün farkında değilse tüm kadınların.

Kadındır en büyük zorluklarda gözyaşı akıtmayan ve yine kadındır komşusu suratını assa ağlayan.

Tezatlar, ironiler, dengesizlikler, hasetlikler, gevezeliklerle de doludur kadın.

Başka türlü olmasına hiç çabalamayın.

Kusurlu kusursuzluğunda güçlenir kadın.

Hatalar yapar ve öğrenir kadın.

Yorulduğu için güzeldir kadın.

Yoruldukça güçlenir, güçlendikçe güzelleşir sanırım...

Şükürler olsun ki, ben de işte kusurlu ama mutlu "kadın gibi bir kadın"ım.

66 Mutlu olmak
İSTİYORSAN,
haddini bildir hadsize... **99**

Nilgün Bodur // Sen Gittin ya Ben Çok Güzelleştim

Sağıra sözünü, köre yüzünü süsleme...

Eşeğe altın semer vurup, kendisini yarış atı zannettirme...

Cahile akıl verip, günü geldiğinde kendine "aptal" dedirtme...

Kimseye hak ettiğinden fazlasını verip, sonunda kendini değersiz hissetme...

Vefasıza vefa gösterip, sonradan "Yazıklar olsun!" deme...

Onlar alır. Sen verirsin.

İsteseler de istemeseler de...

Fedakârdır iyiler ama sonunda onlar üzülürler...

En iyisi sen üzülmeden, cahili âlim etme...

(İnanıyorlar yazık...)

Mutlu olmak istiyorsan, haddini bildir hadsize.

Daha da mutlu olmak istiyorsan otur üstüne bir de baklava ye...

66 Tanınmak değildir başarı.
NEYLE TANINDIĞINDIR
ya da tanınmadan
BAŞARDIĞINDIR. **99**

Nilgün Bodur // Sen Gittin ya Ben Çok Güzelleştim

$\mathcal{K}$ocaman bir illüzyon bu...

Başarının sözlük anlamını gazete eklerinin ikinci sayfasında arar olduk. Güzelliği ve zenginliği başarı sayar olduk. Üretenleri değil, tüketenleri baş tacı yapar olduk. Ekran karartıkça acı çekenlere el uzattığımızı sanır olduk. Sahip olduğumuz her şeyi göze sokar olduk. Elimizdekilere sıkıca tutununca gitmeyeceklerine, umursamadıkça saygı göreceğimize, sevgi vermedikçe sevileceğimize inanır olduk, bu sebeple anlık kazanımlarla saçma bir illüzyonu yaşar olduk.

Biz, maharetli sandığımız ellerimizi, ellerin gözüne sokarken yorulduk. Başkalarına uzatmaya çalışırken de sırtımızdan vurulduk. Sosyal yalnızlığımızın güvensizliğinde bokböceği gibi tortop olduk.

Atabileceğimiz kazıkların, bize atılabileceğini düşünmekten mahvolduk.

Hayvanları insanlara yeğ tutup, insanlar tarafından ısırılma ihtimalimizin daha yüksek olduğunu bilmekten gocunduk.

Kadın dövdük, kadın aldattık, kadın taciz ettik, kadın öldürdük. Her şey olduk. Adil olamadık.

Koca çaldık, yuva yıktık, evlatlarımızı yok saydık, buna rağmen utanmadık.

Her şey olduk. Rezil olamadık...

Biri anlatsın bizlere. Tanınmak değildir başarı. Neyle tanındığındır ya da tanınmadan başardığındır.

Aslına bakarsanız, sonunda hiçbir şey olamadık da kendi yarattığımız bu saçma illüzyonun en itaatkâr kölesi olduk...

Yerçekimi sebebiyle değildir ayakların yere basması.

O, tamamen, vicdan, merhamet, edep ve tevazu muhasebesi.

Yoksa ortam uçmaya çok elverişli.

Yerçekimi bedene söz geçirir ama ruh öyle durabilir mi?

Biri verir havayı, bulutların üstüne çıkar.

Gün gelir, biri iğneyi batırır.

Boş balon misali oraya buraya çarpar.

Hayat bu.

Gaza gelip yükselmemeli, sonra da ansızın sönmemeli.

Herkes kendi irtifasını belirlemeli.

Zamanı geldiğinde, kendi iradesiyle alçalmak veya

yükselmek sadece erdemli olanların işi...

**" ALDATAN BİR GÜN
sadakat için,
ÇALAN BİR GÜN
adalet için,
DÖVEN BİR GÜN
şefkat için yalvarır... "**

Nilgün Bodur // Sen Gittin ya Ben Çok Güzelleştim

$\mathcal{H}$ayat ilginç.
Gün gelir, içoğlanları, padişah olur...
Hırsızlar zengin
metresler eş
eşekler adam olur.
Odundan kapı, taştan saray olur...
Gün gelir, Kezban'lar destan
onları destan yapanlar, Mestan olur.
Gün gelir, hadsizlik özgüven
saygı yalan, sevgi dolan olur...
Gün gelir, çivisi çıkar dünyanın.
Konuşamayanlar hatip
şifa veremeyenler tabip
yazamayanlar kâtip olur...
Ama yine öyle bir gün gelir ki...
Verenler alır, gidenler uslanır, dönenler yalvarır...
Merdiveni koşarak çıkanların, gün gelir ayağı takılır.
Sevgisini vermeyen, gün gelir kimsesiz kalır.
Aldatan bir gün sadakat için, çalan bir gün adalet için,
döven bir gün şefkat için yalvarır.
Piyon deyip geçme.
Gün gelir şah olur.
Şaha da fazla güvenme.
Gün gelir mat olur...
Öyle bir gün gelir ki sen bakmazken her şey hallolur...

" VAZGEÇEMEDİKLERİNİZ,
ihtiyacınız değil, zaafınızdır... **"**

Nilgün Bodur // Sen Gittin ya Ben Çok Güzelleştim

Sahip olduğunuz bir şeyden vazgeçemiyor musunuz?
O halde siz ona değil, o size sahiptir...
Kölelik, sadece özgürlüğün kısıtlanması değil
vazgeçmekten kaçmaktır.
Gerektiğinde vazgeçemeyen, en büyük korkaktır.
Vazgeçemedikleriniz, ihtiyacınız değil, zaafınızdır.
Güç bazen istikrarda değil, bırakıp kaçmaktadır.

"HAYIR"
olanın da,
olmayanın da
İÇİNDE...

Nilgün Bodur // Sen Gittin ya Ben Çok Güzelleştim

$\mathcal{N}$e çok kullanılır oldu bu şahane kelime: "Hayırlısı."
Başka dilde karşılığı olmayan ama bizim sohbetlerimizde hayat kurtaran, yaşama bağlayan, bazen de umursanmadığını hissetmeni sağlayan dilimize pelesenk olmuş bir ermişlik tesellisi...

Başarıdan başarıya koşarsın, aşkın zirvelerinde coşarsın, evlenir çocuk yaparsın, holding falan kurarsın, sağlam bir çevre yaparsın, üstüne bir de bunları sevdiklerinle paylaşırsın; biri çıkar "Hayırlısı" der, hayırsız olacağından korkarsın...

Sınıfta kalırsın, hayatta dikiş tutturamazsın, sevgilinden ayrılırsın, maaşına zam alamazsın, hatta üstüne işten çıkarılırsın, dostum dediklerin tarafından sırtından bıçaklanırsın, birine dert yanarsın; o da çıkar "Hayırlısı" der, yaşadıklarında hayır ararsın...

İşte böyle bir kelime "hayırlısı".

Mutlunun korkusu, mutsuzun son umudu...

Oysaki tevekküldür "hayırlısı".

"Ben mücadelemi verdim, elimden geleni yaptım, çabaladım, buraya kadar geldim, yapmaya devam edeceğim ve geri kalan her şeyi Rabb'ime devredeceğim" demektir.

Kendini bıraktığın ve içinde sürüklendiğin kader, kader değildir. Kader; çabadır, seçimdir, mücadeledir.

Hırsızlığın, kabalığın, başarısızlığın, umursamazlığın, yalancılığın, tembelliğin "hayırlısı" olmaz.

Bu kelimeyi kullanmayı hak edeceksin.

Sen sevgini, emeğini, yüreğini koydun mu ki ortaya, "Hayırlısı" diyeceksin?

Şimdi sor kendine, elinden geleni yaptın mı?

Yüreğini hiç karartmayıp, sabırla engelleri aştın mı?

Nefreti, öfkeyi, intikamı unutup, sadece kendinle yarıştın mı?

İçin rahatsa, arkana yaslan ve bekle...

"Hayır" olanın da, olmayanın da içinde...

Sen yüreğini çıkarsızca ortaya koyduysan, "hayır" zaten senin o herkese sunduğun yüreğinde.

Kaçamazsın "hayırlısı"ndan, eğer bir nebze iyi insan olduysan...

Ne yapınca değil, ne yapmayınca mutlu oluruz?

1) "Bana bırak" diyen kuaföre gitme

2) Herkese "canım" diyene güvenme

3) Reflün varsa, asla soğan yeme

4) Saf bir kalbi kendine düşman etme

5) Sana değer vermeyene canını verme

6) Değiştiremeyeceğin şeyi eleştirme

7) Sözünü dinlemeyene söz sarf etme

8) "Ben asla yapmam" deyip başkasını yerme

9) Milletin derdiyle kendini germe

10) Instagram'da Şeyma Subaşı'yı takip etme

66 Karşılıksız sevgiyi unutalı çok oldu. Hep bir "paket" **ANLAŞMASI YAPIYORUZ.** Verdiklerimizle aldıklarımızı **BİR KEFEYE KOYUP,** aldıklarımız ağır geldikçe **DEVAM EDİYORUZ. 99**

Nilgün Bodur // Sen Gittin ya Ben Çok Güzelleştim

Çok tuhafız...
Bir başkasının hatası bizim tasamız. Bize yapılan her hata bizim günahımız. Verince almamak, sevince sevilmemek, gidince gelinmemek hep bizim hatamız...

Beklemek zayıflık, dile getirmek aptallık, sitem etmek şapşallık... Konuşarak anlaşmak ise son insanlığımız. Oysaki o konuda bile hayvanlardan daha zayıfız.

Kelime sarf etmek, duygu dillendirmek, değer vermek gitgide anlamsızlaşırken, yüzeyselliğin dibine vurdukça değer görmek en büyük hastalığımız.

Aptallaştıkça, çabalamadıkça, dinlemedikçe, önem vermedikçe, sevmedikçe güzelleşiyoruz.

Sırtımızı özgüven adını koyduğumuz egomuza yaslıyoruz ve sevilmeyi bekliyoruz.

Seni kim sevsin?

Dinledin mi? Zaman verdin mi? Çaba gösterdin mi?

Esnedin mi?

Öyle benciliz ki.

Birilerini kaybediyoruz ve onlar bizi kaybetti sanıyoruz.

"Kendini sev" öğretilerini çok yanlış anlıyoruz.

"Bana dokunmayan yılan bin yaşasın" diyerek, yılanın hası oluyoruz.

Karşılıksız sevgiyi unutalı çok oldu. Hep bir "paket" anlaşması yapıyoruz.

Verdiklerimizle aldıklarımızı bir kefeye koyup, aldıklarımız ağır geldikçe devam ediyoruz.

Çünkü bize zaman içinde hesaplamayı öğrettiler.

Havuz problemlerindeki musluklarla başladı her şey.

Doldurdukça, boşaltan ütopik hesaplamalarla çözdük problemlerimizi.

A noktasından B noktasına varmaktı derdimiz.

Üleştirirken artakalanlarla öğrendik kimin şanslı olduğunu.

Ali'nin, Ayşe'den daha fazla kalemi oluyordu hep.

Ve çözmek için mutlaka bir problem gerekiyordu.

Ayşe'ye üzülen merhametli çocuklarken o problemlerde, Ali olmak isteyen insanlar olduk.

Adaleti sadece mahkemelerde arayıp, insanlığımızı unuttuk.

Zırnık kadar verdiğimizi, kepçeyle almaya çalışıyoruz.

Biz ne zaman "insan" olduğumuzu unuttuk?

Biz ne zaman çabasızlığımızla gurur duyan insanlar olduk?

Biz ne zaman kendimizi sevmeyi herkesi sevebilmekten üstün tuttuk?

Biz ne zaman bozulduk?

"ÜZÜLME, GEÇER"
diyenlere bakma sen.
"Üzül, yine de geçer..."
ÜZÜLMEZSEN,
sonunda içten gülemezsin.
ÜZÜLMEZSEN,
söylesene nasıl
yaşadım dersin?
ÜZÜLMEZSEN,
mutluluğu soranlara
tarif edebilir misin?

Nilgün Bodur // Sen Gittin ya Ben Çok Güzelleştim

$\mathcal{H}$epimiz biliyoruz her şeyi. Dalga geçmiyorum. Vallahi biliyoruz. Ama yapmıyoruz.

Şimdi ben her gün avokadoyla yumurta beyazını karıştırıp yesem, sağlıklı diye bir oturuşta 100 gr antepfıstığı yemesem, bir taneden bir şey olmaz deyip kol gibi kolböreğini mideye indirmesem, vücuduma karbonhidrat adına günde bir tanecik yeşil elma soksam, en büyük yaramazlığım bir avuç beyaz leblebi olsa, ramazanda güllaca, doğum günlerinde yaş pastaya, Antep'te baklavaya, Adana'da kebaba, Edirne'de ciğere, Bursa'da İskender'e dayanabilsem, bir de mavi gözlerimle hayata gülümsesem, bildiğin Adriana Lima'ydım ve lisede tombiş olduğum için beni mezuniyete davet etmeyen platonik aşkıma an itibariyle tırnaklarını yedirtiyordum. Hatta elindeki tırnaklar bitince ayaklarındakileri yiyebilmesi için yogaya başlamasına sebebiyet veriyordum.

Biliyoruz her şeyi.

Anlatıyoruz hep en az bizim kadar her şeyi bilenlere. Diyoruz ki, "Üzülme, geçer." Bizden de geçeceğini umut ederek, onlardan da geçmesini bekleyenlere. Birilerine güç verirken güçleniyoruz diye. Her şeyi bilip susunca sanki geçmeyecek de, belki teselli edersek teselli buluruz diye.

Biz hepimiz her şeyi biliyoruz. Mutluluğun sürekli olmadığını ve mutsuz olmadan mutlu olunmadığını. Zamanın çılgın devinimini ve zamanın açtığı her yaranın, yine zaman olan merhemini. Söyleyerek ya da duyarak iyileşilmediğini ve bizi sadece zamanın iyileştirdiğini. Mutluluğun, mutsuzlukla el ele gezdiğini ve yaşamın bu ikiliyi birlikte sevdiğini.

Zamanın varsa düzelir her şey... Zamanın varsa döktüğün her gözyaşı, gün gelir kahkaha olur, aşk olur, başarı olur, dostluk olur, hayat olur...

Bildiklerini dinleyerek ve söyleyerek iyileşemezsin. Bildiklerini tecrübe etmeye cesaret etmelisin. Zamanın geçmesini isteyerek değil, zamanla geçeceğini bilerek gülümsersin.

"Üzülme, geçer" diyenlere bakma sen.

"Üzül, yine de geçer..." Üzülmezsen, sonunda içten gülemezsin... Üzülmezsen, söylesene nasıl yaşadım dersin? Üzülmezsen, mutluluğu soranlara tarif edebilir misin?

Hayır yani, sen kimsin?

Servetin var diye, asil misin?

Alttan aldık diye, üstte misin?

Değer verilince hep böyle böbürlenir misin?

Yanlışlıkla taç giydik diye mi kendini kral bilirsin?

Sen kimsin kardeşim?

Şansın, zekândan

paran, itibarından

egon, boyundan fazla diye mi bu dünyada özel

muameleyi hak edersin?

Benim gibi sen de aynı oksijeni tüketirsin.

Sonunda benimle aynı kefeni giyeceksin.

Sen kimsin?

❝ KENDİNİZE
Sevgililer Günü
KUMBARASI ALIN.
Hediye bütçenizi
KUMBARAYA ATIN.
YILLARCA
yalnız kalırsanız
tropikal bir adada
TATİL YAPIN.
Yelpazenizi bile
başkası sallasın. ❞

Nilgün Bodur // Sen Gittin ya Ben Çok Güzelleştim

$\mathcal{M}$eyve sebze tatlısı yaptım bugün... Buzdolabını da rahatlattım. Kendimi de. Zaten Sevgililer Günü geliyor diye içim şişiyor. Son 15 senedir yalnız geçirmedim ama birlikte geçirdiklerim de şu an yanımda olmadığına göre çok da lazım değilmiş o kadar para bayılmak hediyelere. O paraları bir araya koysam şu anda Bora Bora Adaları'nda bir ay sürecek 5 yıldızlı bir tatil yaparken yelpazemi sallasın diye bir adam tutmuştum. Sevgililer Günü geliyor diye sevgiliniz yoksa endişelenmeyin. Derin nefesler alın. Geçecek. Sosyal medyaya girmeyin o gün. Girerseniz de göze sokulan mutluluklardan bir cacık olmayacağını düşünün. Ben de yaptım zamanında. Bir cacık olmadı işte benim hıyarlardan. Bence kendinize Sevgililer Günü kumbarası alın. Hediye bütçenizi kumbaraya atın. Yıllarca yalnız kalırsanız tropikal bir adada tatil yapın. Yelpazenizi bile bir başkası sallasın. Sevgiliniz varsa da sıkıca sarılın. Öpün, sevin, koklayın ama bence hediye bütçesini yine de bir kumbaraya atın. Adama bu tatlıdan yapın. El emeği falan deyip oyalayın. İçine aşkımı kattım da dersiniz, yiyorlar. Saf bunlar. Kısacası adam varken tatlı, yokken tatil yapın.

Tarifi de vereyim. Çünkü çok boş yaptım...

Meyve Sebze Tatlısı

2 elma
1 muz
1 havuç
1 avuç kuru üzüm
2 hurma
Tarçın
Vanilya
İri dövülmüş ceviz

Ceviz dışında tüm malzemeleri bir tencereye koyup üzerlerini örtecek kadar su içinde haşladım. Suyu az koydum. Çektirdim. Sonra bir blendırdan geçirdim ve içine cevizi ekledim.

" BASİT YAŞAYACAKSIN. ÇOK DÜŞÜNMEDEN DÜŞÜNCELİ OLACAK, KAHKAHA ATMAYI BEKLEMEDEN, GÜLÜMSEMEYİ ÖĞRENECEKSİN. "

Nilgün Bodur // Sen Gittin ya Ben Çok Güzelleştim

Şairin dediği gibi basit yaşayacaksın bu hayatı.

Sevince seviyorum diyeceksin lafı dolandırmadan. Kızdığında belli edeceksin soğuk savaş yapmadan. Kim ne der diye düşünmeyeceksin.

Mutlu olmadığın yerden çekip gidecek, ama olduğun yeri seçtiğin yer belleyip, seveceksin. Elindekiyle idare edecek ve şükredeceksin... Takdir edilmek kadar, eleştirilmek de var bu hayatta.

Konuşulanlardan aldığını alıp, kendini reddetmeden, sevmekten vazgeçmeden değiştireceksin.

Basit yaşayacaksın...

Çok düşünmeden düşünceli olacak, kahkaha atmayı beklemeden, gülümsemeyi öğreneceksin.

Geleni kabul edecek ve gitmesini istediğine yol vereceksin.

Kahvaltıda biraz peynirle iki yumurtayı çırpacak ve sonuçtan mutlu olacaksın.

Basit yaşayacaksın...

Ve inan ki sonunda sen de benim gibi duanı yaşayacaksın.

66 **ALLAH, HİÇBİRİMİZE**
ağladığında, bağırdığında,
haykırdığında hafiflemeyen
DERT VERMESİN.
Bir şarkı söyleyince,
bir şiir dinleyince,
bir film izleyince
HER ŞEY GEÇSİN. 99

Nilgün Bodur // Sen Gittin ya Ben Çok Güzelleştim

Zor ağlarım ben. Neden bilmem. Hatta tam tersi çok gülerim. Her trajedide bir komedi unsuru bulurum ve karikatürlerle beslenirim. Gülmek ağlamaktan daha kolay geliyor çünkü.

Ama dün bir ağladım ki içim çıktı. Ağladığıma sevindim sonra. Ulan ne güzel ağlıyormuşum ben diye. Bayılıyorum insan olmaya. Bir ara da dün öğle yemeğinde birikmiş öfkelerimi ellerim titreye titreye anlatarak arkadaşlarımı da gerdim. Hatta sanırım bir ara fena çirkinleştim. Şaşkınlıkları geçince, sarıldılar falan ve azıcık rahatladım ama yine de evde bombayı patlattım. Şiirler okuyup, şarkılar dinleyip, hatta utanmadan söyleyip, önce hüzünlenip, sonra Tarkan baba oluyormuş diye sevinip hüngür hüngür ağladım. Diyeceğim odur ki, bu fotoğraftaki kadının dünle alakası yoktur. O kadın Instagram'da olmasın zaten. Burada herkes içiyle dışıyla birer melek çünkü... O kadın sevimsiz. Burada iş yapmaz. Ama bir duam var şimdi hepimiz için. Dün ağlayarak içimdeki acıyı hafifletince ettim. Allah, hiçbirimize ağladığında, bağırdığında, haykırdığında hafiflemeyen dert vermesin. Bir şarkı söyleyince, bir şiir dinleyince, bir film izleyince her şey geçsin...

Martılara seni anlattım,
"Bırak Allah aşkına o denyoyu,
simit var mı simit?" dediler...

66 AŞKIN BEDENLE,
isimle, cisimle değil,
SEBEBİ BİLİNMEYEN BİR
yoksunlukla yaşandığını
VE HAYRAN OLMADAN,
birlikte kahkaha atmadan,
tüm kusurları sevaba devşirmeden,
tüm sevapları günaha döndürmeden
yaşanamadığını anlayacaksın. **99**

Nilgün Bodur // Sen Gittin ya Ben Çok Güzelleştim

Sisin arkasındaki mutluluğunda gamsız bir kalabalık, olmayan vicdanının yerinde hoyrat bir gamsızlık, elinde ateşi bile görünmeyen bir zafer meşalesiyle, sadece yürüdüğünü sanacaksın.

Farklı bedenlerde huzur, tanımadığın yüzlerde şefkat, yabancı gözlerde umut arayacaksın.

Koştuğunu sanırken sürünecek, sevildiğini sanırken özleyecek, sevdiğini sanırken aldanacaksın.

Aşkın bedenle, isimle, cisimle değil; sebebi bilinmeyen bir yoksunlukla yaşandığını ve hayran olmadan, birlikte kahkaha atamadan, tüm kusurları sevaba devşirmeden, tüm sevapları günaha döndürmeden yaşanamadığını anlayacaksın.

Elinde sahte bir senaryo ile, oynadığın role kendini kaptıracaksın.

Sadakatin aptallık, sevginin çıkarcılık, başarının parada, huzurun başarıda olduğuna inanacaksın.

Kendi hayatının başrolünü bile sırf bu yüzden amatör bir figürana kaptıracaksın.

Figüran bile seni bir süre sonra hatırlamayacak ve sen kaptırdığın başrole yanacaksın.

Sonunda yara almadan kanayacak, gözün dolmadan ağlayacak, aklın yerindeyken çıldıracaksın.

Yalnız kaldığında içini bir telaş kaplayacak. Çünkü geç kaldığını anlayacaksın.

Hayatının senaryosunun rollerini kendi elinle yanlış oyunculara dağıttığının farkına varacaksın.

Elinde bir avuç para, satın almakla huzur bulamadığın tüm eşyalar odanda, yaşarken kalbinin neden atmadığını sorgulayacaksın.

Doğru sandığın yanlışlarda yaşlanacak, kalabalıkta yalnız kalacak, sustuğunla konuşup, kelimelerinle susacaksın.

"Neden?" diye sorarken kendine, benden bahsedecekler sana.

Yerime koyamadığın her insanı, her eşyayı, her kahkahayı fırlatıp atacaksın.

Dolmayan boşluğuma şöyle bir bakıp, gittiğimi anlayacaksın...

" HİÇBİR ŞEY
kalmaz inan geriye,
en sevdiğin tişörtünün
bir gün toz bezi olduğu
BU FANİ DÜNYADA. "

Nilgün Bodur // Sen Gittin ya Ben Çok Güzelleştim

Altyapısız "sosyal medya fenomenleri"nin öyle bir havası var ki, sanki uzaya Tesla'yı onlar göndermiş, Nobel Edebiyat Ödülü kazanmış, albümü milyonlar satmış ya da sosyal sorumluluk çerçevesinde güneydoğuda üniversite açtırmış.

Sultan Süleyman'a kalmayan bu dünyada, sanki en verimli coğrafyaya onlar kazık çakmış.

Filmin sonunu söyleyip sürprizi kaçırmak istemezdim ama sonunda benim maskelerden yapıp genç kalsan da öleceksin.

Güzel, müzel, bir şekilde gideceksin.

Hangi illüzyonun eseri bu sınırsız özgüven?

Vallahi bir de bana onu söylesen.

Ne yapıyorsan yap ama hava atma, insan satma, hırs yapma.

Hiçbir şey kalmaz inan geriye, en sevdiğin tişörtünün bir gün toz bezi olduğu bu fani dünyada.

Takipçin var diye, kendini ne olur daha fazla insan sanma.

Seni her gün kanlı canlı görenlerin sevgisini ve saygısını kazandın mı?

Sen onu söyle bana...

Oynayamazsın gerçek hayatta...

" KİM BENDEN GİDERSE GİTSİN, ben kendimi terk etmeyeceğim. **HİÇ BAHİS OYNAMAM** aslında ama kendi üzerime **HER İDDİAYA GİRERİM.** Çünkü ben kaybettikleriyle **BİLE HER ZAMAN** kazandığına inanan; **AYNI SİZİN GİBİ,** kadının 'dibi'yim. **"**

Nilgün Bodur // Sen Gittin ya Ben Çok Güzelleştim

$\mathcal{U}$ mutlarım korkularımdan fazla benim...

En olmadı, rujumu sürer; savaşa giderim...

Korktuğum her şeyi yener geri gelirim...

Ekmeğimi belki bir insan verir, ama ben aslında Yaradan'dan aldığımı bilirim...

Çalıştığım için benim olana, başkası göz dikerse üstüne basıp geçerim...

Su gibiyim...

Boğacak kadar güçlü, sevecek kadar derinim...

Önüme çıkanı yoluma katar, devam ederim...

Bazı kadınlar ateşten korkar, bazılarıysa ateş olup yakar...

Bazı kadınlar ise su olur ve gittiği yolu tertemiz yapar...

Ben arkadan gelenleri düşündüğüm için, kendi yolumu temizlerim.

Farklı olduğum için eleştirenleri, sıradanlığımla ezerim.

Her şey ya da herkes olamayacağımdan, sadece ben olmayı kendime görev bilirim.

Sahte bir sen olacağıma, dürüst bir ben olmayı tercih ederim.

İhtiyacım olduğu söylenen kahramanı sulu götürür susuz getiririm.

En büyük kahramanıma her sabah aynada göz kırpmayı borç bilirim.

Kim benden giderse gitsin, ben kendimi terk etmeyeceğim.

Hiç bahis oynamam aslında ama kendi üzerime her iddiaya girerim.

Çünkü ben kaybettikleriyle bile her zaman kazandığına inanan; aynı sizin gibi, kadının "dibi"yim.

Şekli farklı belki ama omlet yaptım bugün. Sıradan bir şeyi özel görmek ve göstermek istedim. O kadar sıradanız ki hepimiz... Özel sanıyoruz ambalajına bakıp herkesi. Herkes aynı oysa. Değil mi? Dudakları doldurup, botoks yaptırıp, microblading yapan herkesin telaşı aynı. Özelleşmeye çalışırken, sıradanlaşıyoruz. Oysaki her birimiz aslında ambalajımızla değil, minnoş kalplerimizde ayrışıyoruz... Melek ve şeytan aynı minnoş kalpte savaşıyor hep. Bazen melek kazanıyor, bazen şeytan. Ama biz hep kendimizi meleğin zaferleriyle avutuyoruz. Oysaki bazen şeytana bile pabucunu ters giydiriyoruz. Aynıyız hepimiz. Yaşadıklarımız, hissettiklerimiz, mücadelemiz... Ambalaja yüklensek de, farklı olmayı başaramıyoruz. İşte böyle bir omlet yaptım bugün. Yersen omlet, bakarsan muffin.

SADECE HAYATTA DEĞİL, ayakta da kalarak, **MUTLU OLARAK, KAHKAHA ATARAK** yeneriz düşmanlarımızı. **EN BÜYÜK İNTİKAM,** intikamı bile düşünmemektir. En büyük intikam, bizsizliktir. **EN BÜYÜK İNTİKAM,** senin aynada gördüğünü onun artık **GÖREMEMESİDİR...** "

Nilgün Bodur // Sen Gittin ya Ben Çok Güzelleştim

"$\mathcal{T}$eşekkürünü ettin yanlış yapanlara da, intikam nasıl alınır, asıl sen onu söyle bana" demiş bir okurum.

Ben hiç almadım. Bilmiyorum. Soğuk soğuk da yemedim kendisini. Zeytinyağlılar soğuk yenir bizim evde sadece. İntikam ana besin zincirimde yer almaz benim.

Bana acı vermeye cesaret edeni ölü sayarım. Adını yanımda anan olursa ruhuna bir Fatiha yollarım.

Yokluklarının yarattığı boşluğa, yaşamımdan çaldıklarını koyarım. Mesela kahkaha atarım, sporumu yaparım, aynaya bakarım, kitap bile yazarım.

"En büyük intikam affetmekmiş" derler. Neyini affedeceğim? Yerdeyken elimden yemek yiyip de, uçunca kafama pisleyeni affederek mi ödüllendireceğim? Affetmek için derin nefesler alıp, bilinçaltımı şöyle bir yoklayıp, kişisel gelişimimi tamamlamaya çalışıp, aylarca terapi alıp, özümü falan bulmaya çalışıp, bu uğurda üstüne bir de para harcayıp, çaba falan mı göstereceğim? Niye affedeyim? Adam hayatımın içine etmiş, kurduğum hayalleri yok etmiş, özgüvenimi zedelemiş ve ben de üstüne affetmek için çaba gösterip, ermişlik mertebesine mi erişeceğim?

Yok canım. Almayayım.

İntikam mı?

Hayat alır onu.

Farkına varmazsın.

Sen kendin almaya çabalarsan, başaramazsın.

Sadece hayatta değil, ayakta da kalarak, mutlu olarak, kahkaha atarak yeneriz düşmanlarımızı.

En büyük intikam, intikamı bile düşünmemektir.

En büyük intikam, bizsizliktir.

En büyük intikam, senin aynada gördüğünü onun artık görememesidir.

Bana güvenirsen eğer, şöyle söyleyeyim...

Seni üzeni, şu an başka biri üzüyor... Bir yerlerde biri, bir diğerinin intikamını alıyor...

Başkasının hayatını mahvetmek değil, kendi hayatını yaşamaktır intikam...

Yüzüne gözüne bulaşır sen almaya çalışırsan...

Ödeşmeden bitmez ömür, merak etme...

Ama ben çoğu zaman ödeştiğimi bile anlamam...

Çünkü ölülerle hesap tutmayacak kadar değerli benim için bu muhteşem yaşam...

Müsterih olun...

Cuma akşamı evinde yalnız kalan güzel kadınlar...

Hüzünlenirsiniz falan...

Hemen toparlanın...

Bir cuma akşamı romantik bir yemek yediniz diye ömür boyu bir adamın donunu ütüleseydiniz daha mı iyiydi?

Gözünden kalp çıkan emojiyi görüp de ekrana gülümseyerek baktınız diye, kaynanayı kandilde aramayınca eltiler ve görümcelerle dedikodunuz yapılsaydı daha mı iyiydi?

İki öpüşüp koklaştınız diye, yakanızı kapatıp, eteğinizi uzatıp, o olmasa namusunu koruyamayacağınızı sanıp, sizi siz olmaktan çıkarsaydı daha mı iyiydi?

Oturun oturduğunuz yerde.

Bela mı arıyorsunuz kendinize?

Zaten bir cuma akşamı bunları yapacaksınız.

Bir yemeğe, bir emojiye, bir öpücüğe tav olacaksınız.

Bu cuma evde yalnız kalın.

Vallahi yakında o yalnızlığı arayacaksınız...

Kaynanayı kaynatma planları yapacaksınız.

Müsterih olun...

Bir cuma akşamı mutlaka Eros'un kurbanı olacaksınız... Bu yazıyı Instagram'da arayıp bulmaya çalışacaksınız. En yakın arkadaşınıza okuyup, kulaklarımı çınlatacaksınız...

" HER ŞEY YİTİRİYOR
değerini zamanla.
Aldığımıza, yaptığımıza,
ÂŞIK OLDUĞUMUZA
verdiğimiz değil,
VERMEYİ BIRAKTIĞIMIZ
değer yok ediyor
BİZİ ASLINDA... "

Nilgün Bodur // Sen Gittin ya Ben Çok Güzelleştim

Önce fotoğraf makinesi alırsın; bir sümüklü çocuk, bir ihtiyar dede, bir Boğaziçi Köprüsü fonunda Ortaköy Camii fotoğrafı çeker, unutulacağı bir çekmeceye bırakırsın... Şarjı bitince, tekrar doldurmaz; daha iyisinin hayalini kurarsın...

Önce bir işe girersin, gece gündüz aşkla çalışıp, ilk maaşı evde pastayla kutlayıp, terfi alınca havalara zıplayıp, yönetici maaşıyla hayalini kurduğun başını sokacak evini alıp, yakınmaya, yorulmaya, yıpranmaya, sızlanmaya başlarsın. Ne para mutlu eder, ne terfi... Başkalarını kıskanıp, onlarla yarışıp, gün boyu sana bile yabancı bir ifade takınıp çalıştığın için, her sabah alarm çaldığında resmen bıçaklanırsın...

Sonra birini seversin; aklına düştüğünde lunaparktaki gondola binmiş gibi için yerinden oynayıp, onu görmek, dokunmak, hissetmek için tüm fedakârlıkları yaparsın. Biri, onun saçının bir teline zarar verecek olsa Cüneyt Arkın'ın *Kara Murat* filminde surlardan atladığı gibi üstüne atlarsın. Sonra elini tutunca, tutmak kolay olunca, elindeki ele bile bakmazsın.

Her şey yitiriyor önemini zamanla...

Aldığımıza, yaptığımıza, âşık olduğumuza verdiğimiz değil, vermeyi bıraktığımız değer yok ediyor bizi aslında...

Mutluluğun sırrı bizde gizli... Seveceksin, öfkelenmeyeceksin, affedeceksin, kıymet bileceksin. Böylelikle kaybettiklerine hayıflanmak yerine kaybetmemeyi öğreneceksin...

Çorap teki hariç... Onu ne yaparsam yapayım hep kaybediyorum...

66 Ben 'millet' denen **BU GİZLİ ÖRGÜTÜ** mutlu edemeyeceğimi adım gibi biliyorum. Ben bu hayatı onların **SINAV SORULARINA** cevap vermek için değil, **KENDİ CEVABIMI** bildiğim için yaşıyorum. Kısacası dostlar; **MİLLET SİLİYOR,** ben yazıyorum... **99**

Nilgün Bodur // Sen Gittin ya Ben Çok Güzelleştim

$\mathcal{M}$illet saçını dağıtır, etrafı dağıtır, batak oynarken iskambil kâğıdı dağıtır, ben hâlâ kendimi dağıtıyorum...

Millet anahtarını kaybeder, çorabının tekini kaybeder, şarj aletini kaybeder, ben hâlâ kendimi kaybediyorum...

Millet pul toplar, peçete toplar, deniz kenarından pürüzsüz taş toplar, ben hâlâ kendimi topluyorum...

Bu millet ne gamsız... Kendi dışında her şeyi dağıtıyor, kaybediyor, topluyor ve benimle aynı oksijeni alıyor... Ama benim kadar bana mısın demiyor. Hâlâ orada burada ahkâm kesiyor. Fani dünyanın en faziletsiz yaşam formunu icra ederken, sadece aynaya bakıyor ama içine bir türlü göz atmıyor. Oldum sanıyor. Halbuki olmuyor. Tamamım diyor. Eksik kalıyor.

Aynı millet kendini "oldu" sanınca, tabii ki geri kalanlara sarıyor. Aptalı ünlü, zengin, zeki yapıp, baş tacı ediyor. Çünkü kendisinden fazlasını çevresinde istemiyor. Az olduğunu hatırlatacak kimseyi etrafında tutmuyor. Baş tacı ettiğini de gün gelip maskara ediyor. Çünkü halihazırda bir gün maskara ederim umuduyla baş tacı ediyor. Ya da gün geliyor, baş tacı ettiğinin maskarası oluyor.

Belki ben dağıtıyorum, kaybediyorum ve sonra toplamak zorunda kalıyorum ama ne yaparsam yapayım benim gibi dağıtanlarla, kaybedenlerle ve toplayanlarla birlikte her şeyi aşk için yapıyorum. Millet alay ediyor, ben susuyorum. Millet eleştiriyor, ben dinliyorum. Millet yanlış anlıyor, ben açıklıyorum. Aslında bu "millet" denen gizli örgütü mutlu edemeyeceğimi adım gibi biliyorum. Ben bu hayatı onların sınav sorularına cevap vermek için değil, kendi cevabımı bildiğim için yaşıyorum. Kısacası dostlar; millet siliyor, ben yazıyorum...

" Instagram'da güzeliz ama ulaşılmazız, Twitter'da zekiyiz ama ukalayız, **FACEBOOK'TA SAMİMİYİZ** ama bıkmışız, Tinder'da evliyiz **AMA SORARLARSA BEKÂRIZ,** Linkedin'de kariyerliyiz **AMA ORADA BİLE MİLLETE** yürüyecek kadar sapığız. **BİR PİNTEREST KALDI GERİYE...** Oradan da foto araklayıp **DİĞER MECRALARDA PAZARLARIZ. "**

Nilgün Bodur // Sen Gittin ya Ben Çok Güzelleştim

nstagram'da güzeliz ama ulaşılmazız, Twitter'da zekiyiz ama ukalayız, Facebook'ta samimiyiz ama bıkmışız, Tinder'da evliyiz ama sorarlarsa bekârız, Linkedin'de kariyerliyiz ama orada bile millete yürüyecek kadar sapığız. Bir Pinterest kaldı geriye... Oradan da foto araklayıp diğer mecralarda pazarlarız... Sanırım evde tek başınayken bile kim olduğumuzu hatırlamak için WhatsApp gruplarına danışırız. Sosyal medya sebebiyle tek başımıza tuvalete gidemeyecek kadar özgüvensiz hale geldiğimiz için, lavaboya iki mum, eklektik bir sabunluk koyup "my bathroom" hashtagiyle orada burada paylaşırız. Kalabalık yalnızlığımıza böyle böyle zamanla alışırız... Facebook'taki arkadaşları gerçek, Instagram'dakileri âşık, Twitter'dakileri hayran sanarak yaşarken, bilekliğimizi tek başımıza takamadığımız günlerde fena patlarız... (Yine de güzel be!)

" OLDUĞUN KİŞİ OLUNUR,
olmayan kişiler sayesinde.
Seni öldürmeye çalışanlar da,
SENİ YAŞATMAYA ÇALIŞANLAR
kadar değerli hayatında.
ASLA 'YÜZÜNDEN'
DEME ONLARA.
Çünkü sen insan oluyorsan,
ONLARIN 'SAYESİNDE'... "

Nilgün Bodur // Sen Gittin ya Ben Çok Güzelleştim

$\mathcal{H}$er şey eksilir de, kelimeler eksilmez. Ama sizin de desteğinizle, elbirliğiyle bir kelimeyi eksiltmek istiyorum sözlükten. Hiç olmazsa fikrimizden. O cibiliyetsiz kelime ne diye soracak olursanız, hemen söyleyeyim: "Yüzünden."

Adam işten atılır; ya patron ya ekonomi yüzünden...

Kadın terk edilir; ya sevgilinin şahsiyetsizliği ya da o şıllık yüzünden...

İnsan kilo alır; hep o "bir taneden bir şey olmaz diyen arkadaşlar" ya da "düşük kan şekeri" yüzünden.

Otobüs kaçırılır, çalmayan alarm yüzünden.

Metrobüs kaçırılır, alarm çalsa da, durakta olsan da diğerlerinin daha hızlı koşma ve itme yeteneği yüzünden.

Akıl kaçırılır, ötekinin deliliği yüzünden.

Hayat kaçırılır, hep başkasının yüzünden...

Her gün birini ya da bir şeyi suçlayarak geçer ömür.

Birileri de, bir şeyler de ömürle birlikte geçer.

Geriye kalan ve hep kalacak olan aynadaki insan. Suçladıklarının öldüremediği ama şekil verdiği yansıman...

Sonunda "yüzünden" demek yerine "sayesinde" demeyi öğrenen bir kahraman.

Bazen gerçekten âşık olunur, bir önceki aşk sanılan kötü tecrübe sayesinde.

Çok güçlü olunur, bir ihanet sayesinde.

Zengin olunur, bir dolandırılma sonucunda alınan hayat dersi sayesinde.

Olduğun kişi olunur, olmayan kişiler sayesinde.

Seni öldürmeye çalışanlar da, seni yaşatmaya çalışanlar kadar değerli hayatında.

Asla "yüzünden" deme onlara. Çünkü sen insan oluyorsan, onların "sayesinde" aslında...

Soruyorsunuz:
Sen nasıl ayrılıktan sonra ayakta kaldın diye...
Ben diyorum ki:
Ulaşamayacağı tek kadın benim artık.
Tüm dünya onun olsa da...
Şimdi sorun ona...
O nasıl ayakta kalıyor diye...
Yerinde olmak istemezdim...
Ben bensiz edemezdim.

" SİYAHSANIZ, MUTLAKA
beyazınızı bulun ve
BİR GÜN BİRLİKTE ARDINIZA
bile bakmadan 'gri' olun... **"**

Nilgün Bodur // Sen Gittin ya Ben Çok Güzelleştim

Siyah beyaz kuruyorum artık hayallerimi. Çünkü bir köpeğin gözlerinden görmek lazım bazen düşleri... Tüm renkleri alsınlar isterlerse. Yeter ki siyahı beyazsız, beyazı siyahsız bırakmasınlar. Nasıl da zıtlar ama birbirlerine ama ne de çok yakışırlar... Ayrı ayrı güçlü olduklarını bilirler ve diğer renkleri yanlarına bile yaklaştırmazlar. Birleşme zamanı geldiğinde ise, tüm güçlerini unutup, anlamsız bir gri olurlar... Siyahsanız, mutlaka beyazınızı bulun ve bir gün birlikte ardınıza bile bakmadan "gri" olun...

" KENDİNİ KUTLAYABİLİRSİN.
'Seviyorum seni' diyerek
SARILABİLİRSİN BİLE.
Yaptıklarınla ve yapmadıklarınla
BUGÜNKÜ SENİ KENDİNE
borçlusun nihayetinde... **"**

Nilgün Bodur // Sen Gittin ya Ben Çok Güzelleştim

*O*urun ya... Ben kendime âşık oldum. Zaten çok alıştım bana. 43 yıldır yan yanayım ruhumla. Arada bir de bakıyorum tabii aynaya.

Sıkılıyorum bazen kendimden. Kızıyorum hatta hata yapınca. Sonra anlıyorum ki kızdığım her hata kendime yaptığım aslında. Sabahları kalkıyorum ve yüzüme bakıyorum. Seviyorum kız seni diyorum. Dün nasıl koydun lafı gediğine. Nasıl trafiği durdurdun cam silen çocuklara para vereceğim diye. Nasıl güldürdün ihtiyacı olanları gülmeye. Nasıl yaptın o şahane yemeği dolapta kalan iki üç malzemeyle. Nasıl kandın şapşik, iki güzel emojiye, gözlerinden kalp çıkıyor diye. Nasıl inandın verilen sözlere. Nasıl uğraştın intikam alacağım diye. Nasıl yalan söyledin çok da hazzetmediğin birine para kazanacağım diye. Nasıl dedikodu yaptın Fahriye ve Emel ile. Nasıl korkmadın sıradanlıktan, yalnız kalmaktan, yalancılardan. Nasıl utanmadın, yerinmedin, gücenmedin yalanlara inanan bir ruha sahip olmaktan. Nasıl da hiçbir şey beklemedin kimseden. Nasıl öğrendin "hayır" diyebilmeyi. Ne çok mutlu oldun hak edenlere "evet" derken. Nasıl yitirmedin umudunu hayatının altı üstüne gelirken. Ne inançlar yeşerttin çocuk kalbinde. Kim demiş bu yaşta olgunlaşılır diye. Nasıl tutundun hayallerine. Nasıl aktı tüm sular çevrenden sen de onlarla birlikte akarken. Nasıl sormadın hiç neden diye. Nasıl sevdin be kızım dişinle tırnağınla ve nasıl hâlâ vazgeçmedin böyle sevmekten. Bir daha dünyaya gelsem yine ben olurdum demekten. Nasıl aradın aşkı yıllarca başka yüreklerde ve şimdi nasıl öğrendin o aşk aslında aynaya baktığında gördüğünün yüzünde ve dostlarının, ailenin, köpeğinin gözlerinde. Nasıl korkmadın parasız, işsiz, eşsiz kalmaktan ve hak ettiğini düşündüklerine ulaşamamaktan. Seviyorum seni kızım. Dünya durdukça arkandayım.

66 HAYAT ÇOK SEVMİYOR
kendisine dokunulmasını.
FENA GIDIKLANIYOR.
Sen üstüne giderken
dayanamayıp elinin tersiyle
YÜZÜNE GEÇİRİYOR. 99

Nilgün Bodur // Sen Gittin ya Ben Çok Güzelleştim

$\mathcal{H}$ep bir şeyler yapmaya çalışırken geçiyor ömür. Saçımızın en çok yakışan rengini bulmak. Spor yapıp baklava çıkarmak. Gardırop detoksu yapmak. Eskileri unutmak. Evi temiz tutmak. Erzak dolabını toparlamak. Âşık olmak. Âşık kalmak. İdeal kocayı bulmak. İdeal evlat yetiştirip gurur duymak. Dertten kaçmak. Evrene daimi pozitif enerji salmak. Zengin olmak. O çok pahalı arabayı almak. Havuzlu bir evde deniz kenarında Koç ailesine komşu olarak yaşamak. Acun Ilıcalı'nın herhangi bir yarışma programına katılıp fazla bir şey yapmadan kısa yoldan ünlü olmak. Büyüdüğünde estetik ameliyatlarla Ajda Pekkan olacağını sanmak. Yolun sonunda mutlu olmak.

Oysaki o saç boyası bir haftaya akıyor, kendini paralayıp çıkardığın karın kası iki lahmacun üzerine yediğin katmerle gözden kayboluyor. Ulaşamadığın için âşık olduğun her daim yanında olunca kanıksanıyor. Arkana bakmadan kaçtığın dertten yenisiyle karşılaşınca duvara toslanıyor. Havuzlu yalıda bahçıvan çimleri güzel biçmeyince tepenin tası atıyor. Koç ailesi de bir sabah sebepsizce selamı kesiyor. Eğitimiyle, terbiyesiyle yetiştirdiğin evladı gelip elin kızı kafesliyor. Estetik bile güzele yakışıyor. Ajda Pekkan gibi olacağım derken yanlışlıkla Kuşum Aydın olunuyor. Hiçbir yeteneğin olmadan, altyapı eksikliğiyle kazandığın ün, zamanaşımına uğruyor. Yolculukta kazandığın tüm mutlulukların da hep daha fazlasını isterken değeri bilinmiyor. Güzelliğe bir sivilce, varlığa bir kıvılcım yetiyor.

Bu sebeple aldım annemin yaptığı kadayıfı önüme, demli bir çay yaptım kendime. Köpeğim Chia "Bana bir lokma düşer mi acaba?" bu düdük makarnasının yediğinden diye umutla gözlerini kırpmadan bana bakarken Rahat Adam Sami karikatürleri okuyup kahkaha atıyorum yükselen kan şekerimin de muhteşem etkisiyle. Kazanacaklarım ve tüm kaybettiklerim heybemde, bir pazar gününü hayatın bana hazırlamakta olduğu sürprizleri bilerek huzurla geçiriyorum. Bir dahaki sefere çaya bergamot da eklemeye karar veriyorum. En büyük kararım bu oluyor bugün. Gelecek tüm sürprizlere, verilecek tüm müjdelere inanıp sadece teşekkür ediyorum. Ben hayata dokunmayı, hatta dürtüklemeyi çoktan bıraktım. Hayat çok sevmiyor kendisine dokunulmasını. Fena gıdıklanıyor. Sen üstüne giderken dayanamayıp elinin tersiyle yüzüne geçiriyor. Ben olsam ben de geçiririm. Bu sebeple izin veriyorum hep ona. Bırakıyorum o dokunsun bana. Tasmasından yakalamıyorum hayatı. Hep gevşek bırakıyorum. Arada bir de salıyorum. Kendisini çok sevdiğim için bunu yapıyorum. O, en iyisini bilir. Kadayıfımı yerken sarı koltuğumda akıllı telefonuma gelecek bir mesajla hayatım değişebilir. Eskiden zordu mucizeli mutluluklar. Şimdi ise hayatı değiştirecek her şey bir telefona bakar. Hep öyle oldu... Beklemediğim bir anda hayat her şeyi yoluna koydu...

Siz onu denizinizde yaşatmak istersiniz, o deresiyle övünür...

Siz insan olduğunuz için önemsersiniz, o kendini insan görür...

Yanlış insan böyledir...

Zanneder ki zirvede yürür, oysaki yerin dibinde dolanır.

Kibrit çöpü kadar ışık saçmaz, kendini olimpiyat meşalesi sanır...

Utanması gerekirken hatalarından, o utanmaz, zavallı kader utanır.

Cesareti arsızlık, soğukkanlılığı gamsızlık, açıksözlülüğü patavatsızlıkla karıştırır.

Ve bunların sayısı gitgide çoğalmaktadır...

İşte bu yüzden birine değer vermek istediğimizde, artık aklımızdan sadece o soru geçer:

"Acaba ne zaman sapıtır?"

" HERKESE BENZEDİĞİMİZ
için sonunda yalnız kaldık.
ZAMANINDA ÜRETMEKTEN
tüketmeye vakit bulamadığımız
TÜM KAYNAKLARIN
iliğini kemiğini kuruttuk. **"**

Nilgün Bodur // Sen Gittin ya Ben Çok Güzelleştim

$\mathcal{H}$er şeyi biz yaptık. Sonumuzu ilmek ilmek hazırladık ve bitmeyen sezonlar ekledik dizi filmimize senaryo tuttu sanıp. Sonunda "Lost" dizisindeki gibi saçmaladık. Savaşlar yaptık. Tarih kitaplarını bile kalınlaştırmayacak, kazananın olmadığı, ucuz ego savaşlarımızda yıprandık. Sevmeyi unuttuk, çünkü severken kahrolduk. Gülmeyi unuttuk, çünkü gülerken ağlamaktan korktuk. Güzel olmak için saksıyı çalıştırmayı, zeki olmak için güzel olmayı bıraktık. Sonunda hepimiz her şeyden biraz olduk ama "en" olamadık. "Tek" olamadık. Kopyalandık. Dudak dolgularıyla, fönlü saçlarla, ağır makyajlarla, botokslarla, microblading kaş çalışmalarıyla aynılaşırken, duygularımız ve düşüncelerimizle de ne yazık ki çoklardan ayrılamadık. Birilerimiz, moda diye tüylü terlik giyerken sokaklarda, diğerlerimiz WhatsApp'ta sabaha kadar sevdiğimize ama göstermediğimize taktiksel çalışmalar yaptık. Gösterince gitmelerinden korktuk. Böylelikle sevmeyi de elbirliğiyle unuttuk. Doğru olanın, iyi olanın, kolay olanın sıkıcı olduğuna kanaat gerip, kaypak olanın, korkak olanın, ketum olanın peşinden depar attık. Sevdaları yanlış ruhlara yükleyip, tüm yanlışları doğru yaptık. Böylelikle yanlışa el vererek, eldeki doğruları da birer birer yıprattık. Herkese benzediğimiz için sonunda yalnız kaldık. Zamanında üretmekten tüketmeye vakit bulamadığımız tüm kaynakların iliğini kemiğini kuruttuk. Bir de üzerine detoks suları içip içimizde yer alan tüm toksinlerden arınabilmek için kılıflar uydurduk. Enerjiler saldık evrene, totemler yaptık, 21 gün metoduyla kötü alışkanlıklarımızdan arınacağız sandık. Mutsuz beraberliklerimize yapışıp bırakamadığımızdan mutluluk yalanlarımızla avunduk. Bizi izleyen herkesi de mutsuz mutluluk oyunumuza soktuk. Milletin de başını yaktık. Aldatmaların bahanesi olmayı bırak, sevmenin bile bahanesi olduk. Bahanelerle sevdik. Bahaneleri sevdik. Yanlışı doğru, kötüyü iyi, aptalı zeki zannettik. Suçu başkalarına yükledik. Hep ötekileri yerdik. Bilin ki, biz onlar yüzünden değil, egolarımızla el ele verip hep birlikte tükendik...

❝ MUCİZELERE
inanmıyorsan
İŞTE O SENİN
ahmaklığın... **❞**

Nilgün Bodur // Sen Gittin ya Ben Çok Güzelleştim

İşte ben o kadınım. Herkesin birçok şeyi olan ama bir kişinin en çok şeyi olmayan...

Çünkü bir kişinin en çok şeyi olmaya başladığında sen azalırsın. Omzuna bir yük biner ve halterle 25x4 set squat yapmıştan beter olursun. Simit yedikten sonra iki azıdişinin arasına sıkışan ve ne yaparsan yap çıkmayan susam tanesi gibi inatla dayatır toplum birinin en çoğu olduğun zaman var olacağına ve bu inatçı baskıyla aslında yok olursun. Köpeğinin, evladının, ailenin, dostlarının, komşularının ve en önemlisi kendi sevginden çalarsın usta bir hırsızlıkla ve biri için en çok olmaya odaklanırsın.

Oysaki bu şekilde başrolünü oynadığın filmin yardımcı oyuncu kategorisinde ödül törenine katılır ve törenden eli boş dönersin. Bir süre sonra figüranlığı bile başkasına kaptırırsın.

En çok olmaya çabalarken tüm evreni seferber edersin. Çalıntı zamanlar, çalıntı aşklar, çalıntı çabalarla bir tek kişi için mücadeleni verirsin ve bir de bakarsın 43 yaşına gelmişsin. Aynada her sabah, çalınmış hayatına bakarsın ve bir sonraki ödül törenine hazırlanmaya başlarsın. Polise de haber veremezsin bu canını yakan hırsızlık için çünkü sen hep kendinden çalarsın. Kendini eleverir mi insan? Tövbe etme metoduyla hatalarından ders alırsın.

Yeniden rolüne hazırlanırsın. Çünkü geç değildir hiçbir hazırlık, başrol için yaptığın... Kahveni içer, telvesini yüzüne sürer, sağlıklı yaşamaya yemin eder, okumaya, anlamaya, dinlemeye, izlemeye, sevmeye, kendini yenilemeye ant içer, gidene "Hoşça kal", gelene "Hoş geldin" der, yaşarsın. Hatalarını ödül, derdini afiyet, hüznünü umut yapar; ayağa kalkarsın. Mutlu uyanmayı, mutluluk saçmayı, üretmeyi, başarmayı, şükretmeyi, hayata âşık olmayı görev sayar, mucizelere inanırsın. Saçını, makyajını yapar, hayatının Oscar ödül töreninde yapacağın konuşmayı bir kâğıda yazar, katlayıp cebine koyarsın. Hep Meryl Streep alacak değil ya bu ödülü. Bu kez de sen alacaksın. Kahve telvesi önemli ama. Sakın çöpe atma. Sür yüzüne ve sen güzelleşirken hem yüzünde, hem gönlünde, yaşadığın mucizelere asla şaşırma... Zaten en büyük mucize varlığın. Var oldukça mucizelere inanmazsan, o senin ahmaklığın...

❝ Yazacak kadar
YAŞAYANLAR
YAŞARKEN
yorulanlardır... **❞**

Nilgün Bodur // Sen Gittin ya Ben Çok Güzelleştim

*Y*azacak kadar yaşayanlar, yaşarken yorulanlardır. Çünkü hayata bir ara fena asılmışlardır. Elleri nasır tutmaz da, yürekleri tutar göremedikleri bir halata körü körüne bir umutla tutunurken. Gözleri ıslanmaz da, içlerinde bir yer kanar, dudaklarına umursamaz bir gülümseme yerleştirirken. Başları, karınları ağrımaz yaşarken yorulanların. Kalpleri ağrır. Ama onlar nohut yine gaz yaptı sanır. Ağrı eşiklerinin sınırını unutmuş, ayrılıklara, aldatmalara, vedalara, yokluklara alışmış yaşarken; dibi tutan bir yemeğe, geç gelen bir online siparişe, gülümsemeyen kasiyere, kapıyı çok çalan apartman görevlisine içlenirler. İçlenecek kimseleri kalmadığından, o halatı bırakamadıklarından ve ellerinin yerine hep yürekleri kanadığından.

Yazacak kadar yorulanlar, önceleri hep doğruyu bulduklarını sanırlar. Tutundukları halatı bırakıp doğruya tutunurlar. Yanlışları doğrulturlar. Kabuk bağlar yaraları ama izi kalır ve hep aynı yerden kanarlar. Ellerine bir şeycikler olmaz umut taşıdıkları için avuçlarında ve yine hayata onları bağlayan o nankör halata geçmişte bıraktıkları yerden tutunurlar. Üstelik daha kaygan, daha kaypak, tutunması daha zor bir halata. Ne halat aynı kalır ne de umutlar bu hayatta.

Yorularak yaşayanlar, o halatın ucunda nefeslenirken, yanlarından ellerini bırakmış insanlar geçer koşar adımlarla. Onların hiçbir yere tutunmadıklarına şaşarlar. Oysaki onlar gerçekten tutunamayanlar... Çok geç anlarlar.

Yaşarken yorulanlar, umutlarına tutunarak öğrenirler hayatı. Bir yerinden akan kan görmedikleri halde ağır bir kanamayı durdurmayı. Doğru sandıkları yanlışlarda tutunacaklara halata yeniden koşmayı, tüm umutlarını sandıktan çıkarmayı ve düş kırıklıklarını hiçe saymayı...

Yorulunca yazanlar çok iyi bilirler her şeye yeniden başlamayı. Yanlarından geçen tutunamayanlara selam verip ellerini hiç bırakmamayı. Açılan yaralar tekrar kanadığında bilirler ne yapacaklarını. Ellerini çekmezler hayatın üstünden asla. Bir selam verirler tutunamayanlara. İlk yaralanmada kan kaybından ölecek olanlara. Ve devam ederler onlar, kanadıkları yeri çok iyi bildiklerinden. Müdahale etmek için ellerini bırakmazlar asla tutundukları yerden. Zaman kurutacaktır o yarayı hep açıldığı yerden. Hayat Baticon ile müdahale istemez. Çok kanayan acıyı zaten hissetmez. Bir selamlarını alır sadece geçen ve onlar devam ederler kaldıkları yerden.

Öyle bir evde kaldım ki...

İstemeye gelen olursa kahveye tuz atmaya cesaret bile edemem.

Kesin, C vitamini, Omega 3 ve glutamin koyarım.

Bir de kahveyi nefesi güçlü birine okuturum.

Bu kadar yıl beklemişim.

Adamı kaçırır mıyım?

Telveyi ayırırım ama.

Maske şart.

" Vermeden Al,
Ekmeden Biç,
Sevmeden Sevil...
OLDU CANIM... "

Nilgün Bodur // Sen Gittin ya Ben Çok Güzelleştim

Sen bombayı icat et, sonra dünya barışı iste.

Sen bankana paramı yatıracak kadar sana güvenmemi bekle, sonra tükenmezkalemi bankoya sabitle.

Sen kul hakkı ye, can yak, yalan söyle, sonra kandil gecesi Instagram'a koyduğun bir duayla günahlarının silinmesini bekle.

Oldu canım...

Sen sabahtan akşama kadar önce evlilik, sonra kayıp insan bulmaca ve olmayan stilini satmaca programlarını izle, sonra neden evladım üçüncü sınıfta hâlâ okumayı sökemedi de.

Sen bütün gün ne bulursan ye, sonra eve gelip elma sirkeli su içince yağlarının erimesini bekle.

Sen çorabını koyduğun yeri bilme, ama karşındaki kadının "ideal" olmasını bekle.

Oldu canım...

En önemlisi, sen canın istediğinde sev, ama senden istendiğinde asla sevme.

Sen iyiliği kanıksa ve kötüyü cımbızla ayıkla.

Sen sevinç verme ve sadece sevindirilmek iste.

Sen hiçbir şeye elini sürme, sonra bekle bakalım hayattan tüm istediklerini hem de altın bir tepside.

Oldu canım...

Portakalı soymadan suyu çıksın; menekşeyi sulamadan çiçek açsın diye bekle.

İhtiyacı olana asla yardım etme.

Gel diyene gitme.

Kal diyeni dinleme...

Sonra bu insanlar da bir tuhaf de.

Oldu canım...

Vermeden al, ekmeden biç, sevmeden sevil...

Biz el ele verip seni cümleten mutlu ederiz de, bu adam olmamış diye sıkılıp iade etmek istersek seni, bulabilecek miyiz verdiğin adreste?

Bir ara WhatsApp'tan lokasyon göndersene...

66 NEYİ SUSSAM,
onu konuşuyorum
MECBUREN.
Sır tutturmuyor
HAYAT BANA... 99

Nilgün Bodur // Sen Gittin ya Ben Çok Güzelleştim

Sustuğum yerden sordu bana hayat yine. Zaten neyi sussam o çınlıyor kulağımda. Neyi sussam o yankılanıyor odamda. Neyi sussam yaşam konuşturuyor sanki bir spot ışığını yüzüme çevirerek, Amerikan dizilerinde sorgulamayı zevke dönüştüren yaşlı ama karizmatik dedektif tadında. Neyi sussam, gıdıklıyor yanlarımı ki teslim olayım ona istemeden atacağım acılı bir kahkahayla. Neyi sussam, onu konuşuyorum mecburen. Sır tutturmuyor hayat bana...

Dostluğu susuyorum çoğu zaman. Bilmem ki, ben mutlu olunca kaçacak delik arayanları hatırlamak istemediğim için mi? Güveni susuyorum bazen. Hatırlamamak için yanlışlıkla güvendiklerimi. Sadakati susuyorum. Cep telefonlarına şifre koyulunca ortadan kalkabileceğine inanılan o en insani erdemi. Aşkı susuyorum. Düşünmemek için ayrılık sonrası yüreğime batan dikenleri.

Bir dost geliyor sonra, öyle bir dost ki "Allah beni düşmanımın acısına sevindirecek insan yapmasın" diye dua ediyor. Hayran oluyorum.

Sonra güven geliyor sırıtarak. Öyle bir güven ki o çok uzaktayken bile beni huzurla uyutuyor. Mutlu uyanıyorum. Sadakat geliyor ardından. Cep telefonuma şifre koymayı bile gereksiz buluyorum. Aşk geliyor sonra koşar adım. İnsanı nedense daha önce yaşananlara karşı *Kayıp Balık Nemo*'daki Dolly gibi unutkan yaptırıyor. Neye üzüldüğünü unutturuyor. Bir anda değişiyor tüm dünya. Sanki herkes daha güzel oluyor. Herkes daha mutlu ediyor.

Tüm şarkılar ülkemizde ayrılık sonrası anlam kazanır ya, mutluluğa şarkı bulunamıyor bu vatanda diye bu kez Tarkan'dan "Beni Çok Sev"e fazlasıyla tamah ediliyor. Ah "O varken bana bir şey olmaz" duygusu var ya, işte o, tüm benliği sarıyor...

Sustuğum yerden sorguya çekiyor beni hep hayatım. İyisi mi ben neyi çok istiyorsam, onu susayım... Haykırdıklarım susturdu beni zaman içerisinde. Yaşam çelmesini ben koşarken çok taktı ucunda altın madalya kazancı bile olmayan "İstanbul hayat olimpiyat oyunları" keşmekeşinde. İyisi mi ben susayım. Sustuğum yerden soruyor zaten hayat. Konuşsam da fark etmiyor. Hep sustuğum yerden sorusunu yöneltiyor. Ben sussam da o, cevabını aslanlar gibi veriyor. Beni sonunda hep kendine âşık ediyor...

" ANI YAŞAMAYACAKSAM, aşkımı susacaksam, **ADAMA BİR PEYNİR TABAĞI YAPAMAYACAKSAM,** telefonu koşarak **AÇAMAYACAKSAM,** iltifat dolu bir mesaja utangaç maymun **YOLLAYAMAYACAKSAM,** adamı bir nevi **YATIRIM OLARAK GÖRÜP,** taktiklerle yol alacaksam **NE ANLADIM BEN AŞKTAN?** "

Nilgün Bodur // Sen Gittin ya Ben Çok Güzelleştim

İlişkiler hakkında ne çok yol gösterilir biz kadınlara. Erkekler sanır ki, kadınlar sadece lamba gibi dururlar ve onlar da umarsızca peşlerinden koşarlar.

Oysa ki bir kadın kaktüs gibi sabit dururken bile hayatının rolünü oynar. Eskiden tüm komşular, arkadaşlar bir araya gelip, Türk kahvesi içip, fal bakarken, şimdi ise tabii ki maske yaparken, kadını büyük oyuna hazırlarlar. Bu öyle bir hazırlıktır ki, Fatih Terim bile zamanında milli takıma böyle taktik vermemiştir. Erkeğin soyağacı yoksa bile, sosyal medya sayesinde çıkarılır. Sağlıklı kek adı altında yapılan pekmezli havuçlu kekten sağlıklı diye kalorisiz sanarak dilim dilim hüpletilirken hazırlanır kadın derbiye. Üç puan almayacaksa o maçtan, yüzüne kahve maskesi yapıp, ortalığı batırmak niye?

Flört evresinde ilk mesajı atmayacaksın, hoşlandığını çaktırmayacaksın, gizemli duracaksın, aklından geçen her iyi cümleye gem vuracaksın, telefonu ilk çaldırdığında açmayacaksın, sürekli Instagram profilindeki güzel kız halinle karşısına çıkacaksın, derdini anlatmayacaksın, kahkahanı sessiz atacaksın...

Ne anladım ben aşktan?

Kendini ağırdan satacaksın. İçinden gelse bile beğenini paylaşmayacaksın. Adama kul köle olmayacaksın. Aptala yatacaksın. Hatta öyle bir yatacaksın ki bir daha kalkmayacaksın.

Ne anladım ben aşktan?

Ben yüzüme kahvemi sürerim. Adamı da seveceksem istediğim gibi severim. Söyleyeceksem söylerim. Güleceksem gülerim. Soyağacına bakmam. Aptala yatmam.

Ben sevdim mi, sevmeyi sevdiğim için severim. Süreyle, hayalle, ömürle sevmem. Bahanem olur aşkım. Çünkü ben hayatı âşıkken daha bir güzel yaşarım. O anı yaşamayacaksam, aşkımı susacaksam, adama bir peynir tabağı yapamayacaksam, telefonu koşarak açamayacaksam, iltifat dolu bir mesaja utangaç maymun yollayamayacaksam, adamı bir nevi yatırım olarak görüp, taktiklerle yol alacaksam ne anladım ben aşktan?

Gider diye sevemeyeceksem, kızar diye gülemeyeceksem, bir kadeh şarapla sarhoş olup gecenin bir yarısı seni seviyorum diyemeyeceksem, yeni gelin gibi süzülüp, adamı hayattan bezdireceksem, üç saat mesajına cevap vermeyince Sakarya Meydan Muharebesi'ni kazanmışçasına sevinip ahaliye durum raporu vereceksem, bir şarkının sözlerinde aklıma geldiğini, aslında aklımdan hiç çıkmadığını söyleyemeyeceksem ne anladım ben aşktan?

Yarına ve düne inanmam ben... İşte bu yüzden aşkıma asla ihanet edemem... "An"ı güzelleştiren en büyük duygudur aşk... Dünün yatırımlarını, yarına projeksiyon yaparken, aşk gidiverir elinizden. Lamba gibi kalırsınız ortada yeminlen. Söyleyeyim de ben.

66 Sevmenin kuralı yok.
TÜM GÜVENSİZLERE İNAT,
kendime ve geri kalanlara
GÜVENECEĞİM.
Bir adım gelene, çabuk gelsin
DİYE KOŞARAK GİDECEĞİM. 99

Nilgün Bodur // Sen Gittin ya Ben Çok Güzelleştim

*A*ynı "iyi niyet" hatasını yüzlerce kez yapıp, her defasında tövbe eden ama yine de kendine "Bir dur" diyemeyen minnoş kalbime kızdım bugün...

Sen nasıl olur da, sana bir adım gelene Usain Bolt gibi depar atarak koşarsın? Sen nasıl olur da, sadece gülümsemesi güzel diye sıradanlığı zirve yapmış bir adam için coşarsın? Sen nasıl olur da bir kelimeye, bir şiire, bir çiçeğe, gözlerinden kalp çıkan bir emojiye böyle kanarsın? Alık mısın? Salak mısın? Aklını peynir ekmekle de yemezsin sen, avokadolu dip sosa mı batırdın? Sen ne yaptın minnoş? Ne yaptın?

Ben kızarak severken kalbimi, yine karşılık verdi. Zaten ne zaman aklıma güvensem, minnoş kalbim araya girerdi.

Dedi ki: "O, senin çok güvendiğin beynin var ya, onu üç aylık geçici vergi hesaplarken, çalıştığın markalara istatistiksel raporlar hazırlarken, bakkal para üstü yerine sana sakız verirken ya da araban kilometrede ne kadar yakıyor hesaplarken kullan. Sen güven. Sana güvenmeyene de güven. Seni sevmeyeni de sev. Almadan ver. Çünkü herkes kendisine her yapılan hatada senin gibi yeminler etse, şiir okumaktan vazgeçse, çiçekleri, köpekleri, kuşları, çocukları sevmeye devam etmese, herkes hata yapılan olmak yerine hata yapmayı yeğlese, birbirinden uzaklaşsa, korkusundan kimseye sarılmasa, kimseye güven duymasa, zarar görecek diye kimsenin başını okşamasa, başını kimseye yaslamasa nasıl insanlara kalır bu dünya?"

Ah minnoş kalbim, ben seni nasıl severim. Üç yanlışın bir doğruyu götürdüğü sınavlarda yanlış yapmasın benim denklemleri kalem kıpırdatmadan çözen beynim. Ben hayatta bana yapılan ve benim yaptığım yanlışları sevmeye devam edeceğim. Trigonometri mi, integral mi yaşadığımız hayat? Kuralı mı var ki hayatı sevmenin? Öpücük gönderen emoji görünce hep gülümseyeceğim. Tüm güvensizlere inat, kendime ve geri kalanlara güveneceğim. Bir adım gelene, çabuk gelsin diye koşarak gideceğim. Yanımdan geçip giderse üzülmeyeceğim. Kat ettiğim yolun sevgiden geçtiğini hep bileceğim. Ve o yolda eminim benim gibilerle karşılaşıp birlikte yürüyeceğim.

66 Olduğumuzla değil,
OLMAK İSTEDİĞİMİZ
halimizle övünür olduk. **99**

Nilgün Bodur // Sen Gittin ya Ben Çok Güzelleştim

*Y*ine sosyal medyada herkesin "Kızım sana söylüyorum, gelinim sen anla" mesajlarıyla dolu bir gündü. Sıradan bir gündü yani. Ünlü düşünürlerin çok düşünüp söylediklerini düşünmeden paylaşıyorduk. Tüm mesajlar iyilikten dem vururken, kötülük almış başını gidiyordu. Herkes iyiyi bu kadar özlerken, iyilik için Instagram mesajlarıyla savaştığını sanırken, kötülük kesin bir yerlerde kol geziyordu. Çünkü herkes mesajlarıyla kötüyü kötülüyordu. O mesajları yazanlar acaba içlerindeki kötüden böyle mi arınıyordu?

Ürettiklerimizi değil, tükettiklerimizi paylaşıyorduk. Sabah kahvemizi, yeni çizmemizi, içimizde patlıyormuş gibi hissettirdiğimiz yaşam enerjimizi, sebzeli krepimizi... Yine hepimizin paylaşacak bir şeyler tüketip, paylaştığı bir gündü. Paylaşmazsak çoğalamıyorduk sanki. Dostluğu, aşkı, yuvayı... Yalnızlık yanlış sanki buralarda... Hüzün yakışmıyor sosyal medyaya. Tebrik ediyoruz, takdir ediyoruz, kutluyoruz sürekli. Neşe almış başını gidiyor. İnsanlar burada çok güzel giyiniyor. Çok güzel yiyor. Çok güzel görünüyor. Çok güzel düşünüyor. Herkes şükür dolu, herkes huzurlu... Peki, kötü nerede o zaman? O kötüyü bir bulursam, vallahi fena yapacağım.

Bazen en büyük zayıflığımızla yüz yüze gelene kadar, ne kadar güçlü olduğumuzu anlamayız.

Ve biz bu zayıflığımızı, güce dönüştürdüğümüz gün başaracağız.

Bizi zayıflatan herkesten ve her şeyden intikamımızı, almaya çalıştığımız için değil, sadece "başardığımız" için alacağız.

"BEN BİR YIL DAHA YAŞLANDIM"
yerine "Bir yıl daha yaşadım"
diyorum doğum günlerimde.
ÇÜNKÜ YAŞLANMAK YERİNE
yaşamayı tercih ediyorum
HER SEFERİNDE...

Nilgün Bodur // Sen Gittin ya Ben Çok Güzelleştim

arın benim doğum günüm. 44 oluyorum. Ben hep bir yıl daha yaşlandım değil, bir yıl daha yaşadım diyorum. Bu yaşımdaki sürprizleri de heyecanla bekliyorum. 43 yaş bana yepyeni dostlar, eski aşklar, sağlam tecrübeler ve güzide kazıklar kazandırdı. Süper hatalar yaptım. Çok satan olmasına şaşırdığım bir kitap yazdım. Gezdim, tozdum, kendimi keşfettim. Kimseden korkmadan dürüstçe duygularımı dile getirmeyi öğrendim. Gelme dedim gelmesini istemediğime, uykum var dedim beni aramak isteyene. Yalnız kalmak istiyorum dedim benimle kahve içmek isteyene. Hepsini çok sevdiğim halde kendimi dinledim ve önceliği kendime verdim. Yazacak halim yoksa, WhatsApp'ta mavi tik yaptığım mesaja bile geri dönmedim. Köpeğimin başını okşarken, çalan telefona cevap vermedim. Çok sevildim biliyorum ama bazen de nefret edildim. Bu da doğru olduğumu hissettirdi bana. Herkes tarafından sevilen insanda bir sorun vardır. Sevilmek için çabalarken kendini, kişiliğini unutur o insan. Kusursuz olmaya çabalamak en büyük kusurdur bence. Merhaba bana yanlış yapanlar. Ben sayenizde ben oldum. Kusursuz olmaya çabalarken ve sizi sevdiğim için canımı dişime takarken bile kazık yedim ya sizden. Bu sebeple kusursuz olmayı bıraktım ve ben olarak yaşamaya başladım. Kazık yiyeceksem böyle yiyeyim istedim. Siz yaşlanırken ben yaşadım. Merhaba, yemeklerin altına yazdığım yazılarla alay eden eski dostum. Merhaba, ortaokulda beğendiğim çocuğu mini eteği ve ince bacaklarıyla tavlayan ve şimdilerde o bacaklarından eser kalmayan eski sınıf arkadaşım. Merhaba, adam yerine koyduğum için adam olan eski aşklarım. Merhaba, telefonumu alıp beni aramayan özgüvensiz adam. Merhaba, telefonumu alıp beni sürekli arayan hadsiz adam. Merhaba, her daim kendisini savunduğum halde beni patrona gammazlayan nankör iş arkadaşım. Ben yaşadım, yaşlanmak yerine. Ya siz? Neden mi yaşlanmıyorum ve yaşıyorum? Çünkü ben sadece size değil, canım umutlarıma da selam veriyorum. Merhaba, yeni yaşımda yaşayacağım hayatımın en büyük aşkı. Merhaba, çok kişiyle birlikte beni de iyileştirecek ikinci kitabımın kapağındaki bu kez gülümseyen yüzüm. Merhaba, ailemi gururlandırdığım için beni mutluluktan ağlatacak ne olduğunu şu an bile bilmediğim başarım. Merhaba, sağlığım, huzurum, hayat aşkım. Merhaba can dostum canımın içi kuçum. Merhaba sabahları gözlerimi açtığımda içimi coşkuyla dolduran bitmeyen umudum. Merhaba şimdim. Ben yaşlanmıyorum, sadece yaşıyorum. Bu sebeple 24, 44, 64, 84 fark etmez. Ümidim olduğu sürece benim yaşım hiç değişmez. Aramızda kalsın bu ruh, ne olursa olsun, 18'den de bir adım öteye gitmez...

66 Çay gibi severim ben...
YANINDA İKİ ŞEKER
ve bir kaşık sunsa da
HAYAT BANA.
Katmam içine bir şey.
KARIŞTIRMAM. 99

Nilgün Bodur // Sen Gittin ya Ben Çok Güzelleştim

Çayımı içtiğim gibi yaşıyorum ben.

Şekersiz, kaşıksız, katıksız...

Basit, sıradan ama sıcak...

Laktozsuz az yağlı sütle caramel macciato seçeneği sunsa da hayat bana

çay içerim ben...

Demesi kolay, içmesi kolay, yaşaması kolay...

Yalnızken kalabalık hissettiren

manzarayı içine çektiren

insanı kendisiyle sohbet ettiren

beni aynı anda hem anılara hem de hayallere sürükleyen başka bir içecek yok bu dünyada.

Türk kahvesine de şiir yazılır belki ama çay gibi olmaz.

Çayla fal bakılmaz, maske yapılmaz, soğursa bir halta yaramaz.

Çay gibi severim ben her şeyi.

Kanıksamam asla her sabah gördüğüm şeyi.

Çay gibi severim sevdiğimi.

Her sabah mutlu olurum gördüğümde, her sabah sıcak...

Çay gibi severim ben...

Yanında iki şeker ve bir kaşık sunsa da hayat bana.

Katmam içine bir şey.

Karıştırmam.

Geldiği gibi severim ben hayatı...

Ve asla kanıksamam...

66 Kadın kadının elinden tutmazsa,

BOZULUR DÜNYA.

Kadın kadının halinden anlamazsa

BAŞLAR KAVGA.

Kadın kadının kuyusunu kazarsa

ÇEKİLMEZ BU DÜNYA.

Kadın kadının düşmanı olursa

erkeklere kalır yaşam denen bu rüya. **99**

Nilgün Bodur // Sen Gittin ya Ben Çok Güzelleştim

Sussa trip, konuşsa dırdır... Zeki olsa kaldırılmaz. Aptal olsa elinden tutup dosta akrabaya tanıştırılmaz. Eve kapansa adamın saygısı gitti, dışarıda fink atsa namus elden gitti. Kariyer yapsa ne gereği var, yapmasa koca parası yemek nereye kadar? Bakımlı olsa boş vakti çok, bakımsız olsa bakanı yok. Sevgisini sunsa, kalbini açsa gurursuz, sunmasa soğuk nevale, ruhsuz. Biraz sesli gülse yollu, suratını assa sorunlu... Kadın olmak kolay sanır erkekler. Para kazanmak, eline yüzüne bakılır olmak ve kadın tavlamak üçgenini tamamlamak yeter de artar onlar için. Biz kadınlar ise tavlanmayı bekleyerek ve el âlem ne der diye delirerek kaybettik özgüvenimizi. Ne zaman kendimize başkasının onayı olmadan değer vermeyi öğrenirsek durumu eşitleyeceğiz. Bu sebeple önce hemcinsimizi eleştirirken çok dikkat edeceğiz. Kadın kadını bu kadar acımasızca yargıladığı sürece, karşı cinsten saygı göremeyeceğiz. Her şey insanlar için. Hata yapan, farklı davranan, içine kapanan ya da dışına taşan her kadını kabulleneceğiz. Biz asla böyle yapmayız demeyeceğiz. Büyük lokma yiyip, büyük laf etmeyeceğiz. Kadın kadının elinden tutmazsa, bozulur dünya. Kadın kadının halinden anlamazsa başlar kavga. Kadın kadının kuyusunu kazarsa çekilmez bu dünya. Kadın kadının düşmanı olursa vallahi erkeklere kalır yaşam denen bu rüya. Sonra ruhunuzu, bedeninizi, fikrinizi, kariyerinizi ve özgüveninizi takas edersiniz size alınan bir Gucci çantayla ya da bir çift Louboutin ayakkabıyla. Yara almak için karşı cinsin kalleşliğini beklemeyin. Dünyanın tadı ne zaman kaçar biliyor musunuz? Kadın kadına çelme takarsa. Kadın kadını yaralarsa...

KAHKAHANIN KIYMETİNİ gözyaşı dökmeyen anlamaz. ZATEN GÖZYAŞI DÖKMEYEN içten kahkahalar atamaz.

Nilgün Bodur // Sen Gittin ya Ben Çok Güzelleştim

$\mathcal{B}$ir kâse çorba içtim bu akşam. Lezzet dolu, sağlık dolu, huzur dolu... Hızlıca bir tarif vereyim ve sonra olanları anlatayım. Bir orta boy soğan, 3-4 baş brokoli, 1 avuç kinoa, bir avuç mercimek, iki diş sarmısak, 1 havuç, 1 kabak, yenibahar, kimyon, tuz, karabiber ekleyip 2 litre suda haşladım. Hepsi yumuşayınca blendırdan geçirdim, üzerini sumak, kruton ve ay çekirdeği içi ile süsledim ve afiyetle içtim. Daha çok var. Bir iki gün daha içerim.

Sabah uyandım. Sporumu yaptım. Toplantım vardı onu da hallettim. Sonra "Rahat Adam Sami"yi okurken bir iki kahkaha attım. Digiturk'e takıldım. Çok saçma bir film açtım. Öyle saçma ki öyle bir senaryo yazsam anneme bile okutmaya utanırım ki annem ne yapsam otomatik olarak beğenir. Ama vallahi o senaryoyu beğenmez. Sonra ayıptır söylemesi (Instagram'da hele çok ayıp) birden ağlamaya başladım. Neden söylüyorum bunu biliyor musunuz? Çünkü hiçbir şey burada durduğu gibi durmuyor hayatta. Satılmış aşklar ve dostluklarla doldu dünya. Bir güç kavgasıdır gidiyor sosyal medyada. Eiffel Kulesi'nin önünde poz veriliyor da, koltukta ağlarken verilemiyor. Açıkçası kendimi de çekmedim o ara. Çekseydim çorba yerine onu koyardım Instagram'a. Sonra ağladığıma sevindim. Oh be dedim. Taş değilmişim. Ben hâlâ kendine yedimemediği ama itinayla yediği kazıklardan etkilenecek biriymişim. Üzülüp ağlamayı özlemişim. Güçlü duracağım diye kendimi heba etmişim. Oh be bugün de kendimi böyle koyuvermişim. Annem okuyup üzülecek şimdi belki ama, o da bilir ki, kahkahanın kıymetini gözyaşı dökmeyen anlamaz. Zaten gözyaşı dökmeyen içten kahkaha atamaz. Çorbayı anlatıyordum: Gözyaşlarımı sildim. Suyu ocağa koydum. İçine de evde ne varsa doldurdum. İşte bu yüzden mükemmel oldu tadı. Hayat gibiydi bu akşam çorbam. Her şey içindeyken lezzetliydi. Bir şey eksilse böyle keyifle içilmezdi. Bir kaşık yenibaharı yiyemezsiniz tek başına ya da karabiberi ama bu çorbanın içinde her şey yerli yerindeydi. Brokoli, soğan, sumak, sarmısak gibi tüm acı tatlar bir araya geldi ama çorbam çok lezzetliydi. Hayat gibiydi kısacası çorbam. Acı olmadan tatlı gelmiyordu bu yaşam...

" O KARMA Kİ,

kul hakkı yiyene bir gün
yemek bulamadığı için
TIRNAĞINI YEDİRTİR,
ALDATANA GÜN GELİR
boynuzlarını bileyletir,
SAYGIYI KORKUYLA
kazanmaya çalışanı
korkuttuğu adamın önünde
'MEEE'LETİR. "

Siz şimdi mütevazı, sevecen, dost canlısı olanı salak sanıyorsunuz ya. Sakın. Kaybettiğinizde en çok eksikliğini çekeceğiniz insan olur o salak. Otobüste durak kaçıran teyze gibi bağırır çağırırsınız. Şoför duymaz.

Siz şimdi yaptığınız her kötülük, üçkâğıtçılık, yalancılık, çıkarcılık yanınıza kalır sanıyorsunuz ya. Sakın. Önce huzurunuz kaçar, sonra bereketiniz. Allah'ın sopası yok ama karma diye bir adalet sistemi var. Sizi fena zorlar. O karma ki, kul hakkı yiyene bir gün yemek bulamadığı için tırnağını yedirtir, aldatana gün gelir boynuzlarını bileyletir, saygıyı korkuyla kazanmaya çalışanı korkuttuğu adamın önünde "meee"letir.

Siz şimdi fedakâr, akıllı, güzel, asil kadını elde edince minik bir çocuğun elinden kaçırdığı hedefsiz bir uçan balon misali havalarda uçuyorsunuz ve o kadına sırf size izin verdiği için yukarılardan bakıyorsunuz ya. Sakın. Siz yukarıya çıktıkça küçülürsünüz onun gözünde. Ve gidiverir o da sizi gözden kaybettiğinde. Sonra bir bakarsınız bir kuş sizi gagalar ve sönersiniz. Ve içiniz boşken yukarı çıkmaya yeltendiğiniz için kendinize söversiniz. Sizi havada, rotada ve hizada tutan o eli özlersiniz.

" Dün ve yarın yok aslında
ZAMAN KAVRAMINDA.
Tüm umutlar şimdiye ait.
Umut hiç bitmez,
ŞİMDİ OLDUKÇA.
Şimdi ise hiç bitmez,
NEFES ALDIKÇA. "

Nilgün Bodur // Sen Gittin ya Ben Çok Güzelleştim

$\mathcal{B}$en bilmiyor muyum çayı demlerken içine karbonat katıp tadını güzelleştirmeyi? Katmam ama. Artık hilenin kolay, doğrunun zor olduğu bu hayatta, bari çayı hilesiz içeyim günü umutla karşıladığım masum sabahlarda.

Ben bilmiyor muyum Kuğu Şarküteri'den aldığım sarmaları misafirime ikram edip, ben yaptım demeyi? Demem ama. Sarma için yalan söylemek yakışmaz bana. Başkasının emeğine sahip çıkmak bu kadar kolay olmamalı bu dünyada. Zaten böyle anlamsız bir konuda yalan söylersem kendimden soğurum sonra.

Ben bilmiyor muyum tüm paramı markalara yatırıp, her gün yeni bir kombin yapıp, koluma pahalı çantalar takıp, lüks mekânlarda salınmayı? Salınmam ama. Alınteri ile kazanınca para böyle harcanamıyor kanımca. Paranın amacı süslenmek değil, keşfetmek, gezmek ve öğrenmek benim dünyamda. Görülecek bunca ülke, yaşanacak bunca kültür varken, veremem paramı içinde halihazırda para taşınan fani bir çantaya.

Ben bilmiyor muyum, başıma gelen her felaket sandığım sorunda çaresiz kalmayı, yere kapaklanmayı, hiç ilerlemeden öylece kalakalmayı ve hep geriye bakmayı? Bakmam ama. Kalp atıyorsa, beyin çalışıyorsa, el ayak tutuyorsa, ilerlemek en büyük görev insanoğluna. Takılıp düşenler hiç kalkmasa, ayakta duran kalmaz. Bu güzel hayat da yerde iki seksen uzanarak yaşanmaz. Ben bilmiyor muyum boşa çıkan tüm umutlarımı terk etmeyi? Hayata küsmeyi? Gitmeyi? Vazgeçmeyi? Pes etmeyi?

Vazgeçmem ama. Vazgeçersem yaşayamam. Vazgeçersem yazamam. Vazgeçersem âşık olamam. Vazgeçersem şimdinin tadına varamam. Dün ve yarın yok aslında zaman kavramında. Tüm umutlar şimdiye ait. Umut hiç bitmez, şimdi oldukça. Şimdi ise hiç bitmez, nefes aldıkça.

**" Mucizelere inanmak için
ETRAFA BAKARIZ HEP.
Bence biraz aynaya bakalım. "**

Nilgün Bodur // Sen Gittin ya Ben Çok Güzelleştim

"Spor öncesi protein ye" derler ya, hiçbirimize öyle yumurtayı haşlayıp, beyazını yiyip, sarısını evdeki tüy yumağına verip spora gitmek yakışmaz. Evdeki en kıymetli misafir benim diye düşünerek hep süslerim tabağımı bilirsiniz. Avokado vardı evde. Olgunlaşmış. 3-4 günde olgunlaşıyor. İnsan gibi değil şu avokado. Kemale ermesi çabuk oluyor. İçine beyazpeynir koydum. Bir kaşık yoğurt ve biraz karabiber ile bir diş sarmısak. Rondodan geçirdim ve yumurtalarımın üzerine süs yaptım. Kırmızı renk ve likopen versin diye minik domatesler ekledim. Afiyetle yedim. Kendime kendimi özel hissettirdim. Sıradan hissetmek için çok yanlış bir gün bugün. Aynaya bakınca anladım. Mucizelere inanmak için etrafa bakarız hep. Bence biraz aynaya bakalım. Misafirlerimizi, çocuğumuzu, eşimizi, çevremizi evimize geldiklerinde nasıl karşılıyorsak, her sabah aynada kendimizi aynı güler yüzle karşılayalım. Gözümüzde kalan çapağı, yeni aldırdığımız halde ayrıkotu gibi çıkan kaşımızı, çenemizin üstünde biten sivilceyi ve bir gün yıkamayınca yağlanan saçımızı değil, gözlerimizdeki ışığı görelim. Bugün sıradan hissetmek için çok yanlış bir gün. Yumurtayı öylesine haşlayıp yiyemezdim. Avokado eklemeliydim. Domatesle süslemeliydim. Çünkü ben bugün her zaman olduğu gibi kendimin en kıymetli misafiriyim.

" Rüzgârın önünde eğiliriz
AMA İNSANA EĞİLMEYİZ.
Başımız diktir bizim.
BİR DE HEPİMİZ
çok ama çok güzeliz. "

Nilgün Bodur // Sen Gittin ya Ben Çok Güzelleştim

Sonbaharı ilkbahar gibi karşılayan kadınlarız biz. Son kelimesini pek sevmeyiz. Yağmur yağsa, fırtına kopsa, güneşin açacağını biliriz. Biz bir kere Allah'tan gelen her şeyin kıymetini biliriz. Bu nedenle ıslatsa da üşütse de bereketini bildiğimizden yağmura şükreder, gücünü bildiğimizden rüzgâra eğiliriz. "Bir kere de bir fotoğrafın altına hislenme be kadın" diyeceksiniz ama biz duyguları mevsim geçişlerinde bile taşan, yerde biten otun mucizesine inanan, arıların düzenine şaşıran, köpeğinin bakışlarından cümleler kuran, her kötünün içinde iyilik olduğuna inanan, yanlış yapanlara şükranlarını sunan kadınlarız. Rüzgârın önünde eğiliriz ama insana eğilmeyiz... Başımız diktir bizim. Bir de hepimiz çok ama çok güzeliz.

**❝ Selfie çeke çeke,
KENDİMİZE
âşık olduk sonunda... ❞**

Nilgün Bodur // Sen Gittin ya Ben Çok Güzelleştim

$\mathcal{N}$erede annemin anlattığı, pencereden balkona yıllarca bakışarak ve sadakat sözü verilmişçesine yaşanan dilsiz aşklar?

Onlara inanarak büyüdük biz.

Filmler izledik, içerisinde Titanic'in battığı ama aşkın anlatıldığı. Kısacık yaşanmışlıkların bir ömür boyu hatırlandığı.

Öyle hikâyeler duyduk ki biz. O hikâyelerde babalar öldü erkenden ve analar kaldı geride ölene kadar kocalarını seven.

Adamlar anlatıldı bize. Nazı niyaz zanneden ve naz edene ömrünü veren. Hiç vazgeçmeyen.

Bugün ise aşkı bilmeden göçüp gidecek bir nesil var dünyada.

Naz edene ukala, sitem edene deli, trip atana zırdeli, sevgisini verene kolay, gidene nankör deniyor en sonunda.

Zor olsan, kolay; kolay olsan daha kolay; fedakâr olsan, umursamaz; umursamaz olsan daha da umursamazı tercih ediliyor. Çünkü tercihler günümüzde sanki herkese tepside sunuluyor.

Sussan soğuk, konuşsan hafif, anlatsan geveze, dinlesen kolay olduğun bugünlerde, annemizin bize öğrettiği tüm değerler bir bir yok oluyor.

Evliler mutsuz, çocuklar mutsuz, bekârlar mutsuz diye aşktan umut çekiliyor.

Bir paket anlaşması var sanki her birliktelikte. Para ve duygu, güç ve güzellik ilişkilerde takas ediliyor.

Ben annemin anlattığı aşklara inandım hep... Bir kelimesini, bir bakışını, bir gülüşünü sevdiğine bir ömür sadık olduğun.

Hatanı, günahını, güçsüzlüğünü sırtında taşımayı onur sayan, tek kişiyle ömür mü geçer toplumsal dayatmasına, bir ömre sığdıramadığı aşkını ahirete bile taşıyarak yanıt veren ve kendisine güvendiği için, sevmeyi yük görmeyen, verdiklerini hesap etmeyen, aksine verdikleriyle güçlenen âşıkların varlığına inandım hep...

Aşk bu kadar kolay olmamıştı hiç. Bu sebeptendir ki bu kadar zor da olmamıştı...

Sevmekten korkanların ve utananların dünyasına ışınlandık elbirliğiyle.

Hadi büyüklerimiz gibi fütursuzca, hesapsızca, çıkarsızca sevelim tekrar hep birlikte. O zaman aşk belki kalmaz ispat ve gösteriş için çekilmiş bir Instagram karesinde.

Yollar, köprüler, telekomünikasyon yatırımları, akıllı telefonlar ve zeki rezidanslar güzelleştirmeyecek bu dünyayı...

Şairin dediği gibi:

Bu dünyayı güzellik kurtaracak ve bir insanı sevmekle başlayacak her şey.

Aynadakini severken, başkasını sevmeyi unutma. Selfie çeke çeke, kendimize âşık olduk sonunda...

66 Oysaki her insanın **İÇİNDE MELEK** ve şeytan bir arada **YAŞIYORMUŞ**. Canım yanınca melek oluyormuşum da, **CAN YAKINCA** şeytanlığımı görmezden **GELİYORMUŞUM. 99**

Nilgün Bodur // Sen Gittin ya Ben Çok Güzelleştim

$\mathcal{N}$e çok biliyormuşum. Size hep "Her şey çok güzel olacak" deyip durmuşum.

Her şey çok güzel zaten. Onu söylemeyi unutmuşum.

Nefes almak, kahkaha atmak, ağlamak, anlamak, yaşamak, yazmak, hayata şahit olmak, hayal kurmak, Allah'a inanmak çok güzel zaten. Gelecek zamanı da geçmiş zaman kadar unutmalı bazen. Geleceği kurgulayıp, geçmişe dalarak, şimdinin canına okuduk cümleten...

Ne çok şey biliyormuşum. Ben, bazı hataları yapmam sanıyormuşum. Kendimi "oldu" sanıp, ortalıkta olur olmaz konuşmuyormuşum. Oysaki ben de fena yanılıyormuşum. Herkes kadar yaralanıp, herkes kadar ağlıyormuşum. Herkes kadar yalan söyleyip, herkes kadar aldanıyormuşum. Yapmam dediğim her şeyi bir bir yapıyormuşum. Dedikodunun dibine vurup, intikam planları peşinde koşuyormuşum. Melek suretimi takınıp, bir de üstüne melek olduğuma inanıp, ne canlar yakıyormuşum. Arada da biri gelip beni acıtınca onu şeytan sanıyormuşum. Oysaki her insanın içinde melek ve şeytan bir arada yaşıyormuş. Canım yanınca melek oluyormuşum da, can yakınca şeytanlığımı görmezden geliyormuşum.

Ne çok şey biliyormuşum. Sizi hep "büyük aşklar"ın umuduyla avutmuşum. Oysaki en büyük aşk insanın kendisini bencilleşmeden sevebilmesiymiş. Aynadakiyle barışıp, hatalarından ders alıp, kişiliğiyle gururlanıp, ruh eşini bulmadan tamamlanmasıymış.

Köpeği, evladı, gerçek arkadaşları, ailesi, hayalleri ve dokunabildiği her canlı, bazen penceresinin önündeki ağaç dalı, bazen sulamayı unuttuğu saksıdaki zavallı petunyası, bazen de rahmetli anneannesinin onu hep koruduğuna inandığı duası onun en büyük sevdasıymış. Büyük aşk yaşamın ona öğrettikleri, biriktirdikleri ve şimdiki zamanda sunduklarıymış.

Yanlış anlatmışım hep...

" Acı veren, acı çekmezse

YARALAYAN,

yaraladığı yerden

YARALANMAZSA

Eziyet gören, gün gelip de

EZİYET EDENLERE

dersini vermezse

DENGESİ BOZULUR

DÜNYANIN... **"**

Nilgün Bodur // Sen Gittin ya Ben Çok Güzelleştim

*D*engesi bozulur dünyanın eğer ki üzen
üzdüğü kadar üzülmezse...
Seven sevdiği kadar sevilmezse.
Ağlayan, ağladığı kadar gülmezse.
Değer verene, bir gün değer verilmezse.
Tüm denge bozulur.
Acı veren, acı çekmezse.
Yaralayan, yaraladığı yerden yaralanmazsa.
Eziyet gören, gün gelip de eziyet edenlere dersini vermezse.
Ah etmesine bile gerek yok acı çekenin.
Düzen böyle işliyor.
Cennet, cehennem bu dünyada.
"Karma" denilen adalet sistemi, gün geliyor, tüm öcünüzü alıyor.
Yaşamadan ölmediği gibi insan, ölmeden de yaşayamıyor.
Bir kere ölünmüyor bu hayatta. Halbuki herkes öyle sanıyor.

Bin kere öldürülüyoruz, adalete teslim edemediğimiz, suçu anayasa kapsamında olmayan duygu katilleri tarafından.

Ama adalet bu kusursuz dünyada sandığınızın aksine mahkeme salonlarındakinden daha hızlı işliyor.

Sizi bir kere öldüren, sonunda bin kere ölüyor.

"Karma" diyorlar ya buna.

Bana göre adı "seni üzeni üzen ve bunu da sana gösteren, kötülüğe çelme takan muhteşem bir sistem".

Tek yapılması gereken, arkanıza yaslanıp "hayat" denilen bu muhteşem filmi izlemek, intikamın sistem tarafından itinayla alınırken.

" ANLAMSIZ SORULARA,
anlamlı cevaplar arama. **"**

Nilgün Bodur // Sen Gittin ya Ben Çok Güzelleştim

$\mathcal{U}$çağa binmeden önce patates kızartması dururken, avokadolu kinoa salatası yer miyim?

Atarlı, kinayeli, giderli bir yazı yazsam eski sevgiliden engel yer miyim?

Herkes ofislerine gitmek için sabah 06.00'da uyanırken, ben blogger tadında 13.00'te uyanıp, Instagram'a gevşek gevşek "Günaydıııın" yazsam, küfür yer miyim?

Her pazartesi bugün az yiyeceğim deyip, çok yiyorum. Haftaya çok yiyeceğim diye başlarsam acaba az yer miyim?

Ben sana WhatsApp'tan yazınca, çevrimiçi olup da okumuyorsun ya, o sırada karşına çıkıp, başkalarına yazan ellerini kırsam, çok ceza yer miyim?

Mesela bir açık hava konserine ya da havalı bir etkinliğe katılıp "story" atmadan eve dönersem, tüm gece tırnaklarımı yer miyim?

Yine güvenip, ömrümü, sırrımı, yüreğimi birilerine verip, hiç beklemediğim bir anda kazık yer miyim?

Onu bunu bırakın, asıl kazık yediğim için annemden yine azar yer miyim?

Geçmeyen faranjitim için ambulans çağırasım var. Çağırsam, yetkililerden dayak yer miyim?

Sen şimdi beni bir yüzükle kafesleyip, ömür boyu ütü yaptırmak ve kuru temizleme hatta ıslak temizleme masrafından kaçmak istiyorsun ya, bak bir gözüme, ben bunları yer miyim?

" BU HAYATTAKİ
en büyük
ZENGİNLİĞİNİZ,
yalansız
SIRADANLIĞINIZDIR... **"**

Nilgün Bodur // Sen Gittin ya Ben Çok Güzelleştim

$\mathcal{U}$zaktan her şey güzel görünür kişiye.
Bakınca mutluluk sandığınız
birinin vazgeçememesidir belki de
vazgeçmesi gerekenden...

Kalınca, olunmaması gereken yerde, sahte bir gülümseme yerleşir yüze.

Mecburiyetten...

Dünyanın en acı yalanıdır, insanın kendisine söylediği.

En çok kendine inanırsın çünkü.

Kalan tüm insanlara güvenini yitirdiğinden.

İçindeyken hayatın, uzaktan bakınca gördüğünüz yalan dünyalara kapılırsınız.

Dert olur size huzurlu ama sıradan hayatınız.

Bilin ki başkasının hayalidir, sizin o dert sandığınız.

Siz, en azından mutlu görünmek için kendinizi bir yalana inandırmadınız.

Çünkü unutmayın, bu hayattaki en büyük zenginliğiniz sizin o yalansız sıradanlığınız...

"Bir kâse aşure sanki **ANNEMİN** duasıdır bana. **ANNE DUASI** alanın boynu HİÇ EĞİLİR Mİ hayat karşısında?**"**

Nilgün Bodur // Sen Gittin ya Ben Çok Güzelleştim

$\mathcal{M}$uharrem ayı geldiğinde ve özellikle son yıllarda Instagram'da kâse kâse aşureler paylaşılmaya başlandığında bambaşka bir huzur kaplar içimi. O kâseler komşulara, akrabalara, sevdiklerimize, küs olup barışmak istediklerimize dağıtılacaktır. Aşure benim gözümde paylaşmanın en lezzetli aracıdır. Beni tanıyanlar bilir. Güllaç ve aşure en sevdiğim tatlıdır ama bir de annemin aşuresi vardır ki benim için hâlâ çocuk olduğumun kanıtıdır. İncir ve kayısı koymaz içine annem. Ve şekerini bol koyar. Ben sevmediğim için aşurenin içinden çıkardıkları işte beni çocuk yapar. Evladı için eksiltir ve çoğaltır analar. Ve işte sıcakken yemeyi sevdiğim ve bugün sıcakken yiyebildiğim o aşure annemin hâlâ benim yanımda olduğunun en büyük ispatıdır. Tadı bambaşkadır. Aşure yapmam ben. O, annemin ihtisas alanıdır. Ya Rabbi, o nasıl bir tattır. Herkes der ki, bak benimkinden de tat, süper yaparım ben. Tatmaz mıyım? Tadarım tabii ki. Ama başka bir aşureyi sevemem bu saatten sonra ben. Annemin içinden çıkardıklarına ve eklediklerine, dizi ağrırken saatlerce ocak başında heyecanla gelmemi beklemesine, sıcakken yiyebilmem için ne zaman pişireceğini günler öncesinden bana ilan etmesine ihanet edemem. Annemin aşuresini yemezsem, çocuk olduğumu hissedemem. Aşure berekettir, bolluktur, paylaşmaktır çokları için. Ben ise bir tabak aşureyle hâlâ birinin canı olduğumu ve bu sebeple kimsenin beni üzemeyeceğini hissederim. Bir kâse aşure sanki annemin duasıdır bana. Anne duası alanın boynu hiç eğilir mi hayat karşısında?

66 Üretin, öğretin,
YARDIM EDİN...
Dudaklarınızı
BÜZEREK DEĞİL,
içten gülümseyerek
GÜZELLEŞİN. 99

Nilgün Bodur // Sen Gittin ya Ben Çok Güzelleştim

$\mathcal{B}$en bilmiyor muyum, facetune aplikasyonunda "smoother" seçeneğini kullanarak Instagram'da kompozit mermer gibi görünmeyi?

Ben bilmiyor muyum, tüm paramı lükse, şatafata, estetiğe, yüzeyselliğe harcayarak sosyal medyada olmadığım biri gibi görünüp, ama gerçekte sosyal falan olmayıp, ancak konu komşu muhabbetlerinde böbürlenmeyi?

Ben bilmiyor muyum, üç kuruşa, takipçi, beğeni, görüntülenme satın alıp, tüm enerjimi bu işin çakılmaması için harcayıp, bir de sahte takipçilerin gerçek olduğuna bir dine inanırcasına inanıp, ortalıkta kasım kasım kasılarak gezinmeyi?

Ben bilmiyor muyum, gelirimden bütçe ayırıp, bir kameraman ve fotoğrafçıyla birlikte dolanıp, ortada yaşanacak hayat bırakmayıp, gittiğim mekânları bile fonuna göre belirleyip, çay içerken fotoğraf çekilecek diye ters ışığın geçmesini bekleyip, doğru ışıkla ve soğuk bir bardak çayla muhteşem görünmeyi?

Ben bilmiyor muyum, her yanımda bitenle fotoğraf çektirip, ezeli dostum demeyi ve arkasından verip veriştirmeyi?

Ben bilmiyor muyum, yalnızken tırnaklarımı yiyip, bir davete gitmek için bekleyip, süslenip püslenmek için neredeyse kredi çekip, en sonunda, 1,60 boy ve 64 kiloyla Victoria's Secret mankenlerine taş çıkaracak bir fizik ve pozla sosyal medyada görünmeyi?

Ben bilmiyor muyum, hayatımı süslemeyi? Milleti özendirmeyi? Herkese dost demeyi? Boyumu 1,85 göstermeyi?

Sırf çayımı soğutmamak için bile yapamam ben tüm bunları. Kafilelerle gezin isterseniz. Birileri çantanızı taşısın. Birileri yelpazenizi sizin için sallasın. Birileri yanınızda sürekli sizi pohpohlasın. Sultan Süleyman'a bile kalmamış bu dünyada, Instagram fenomeniyiz.

En tehlikelisi altyapısı eksik modellerimiz. Ben kimim biliyor musun edasıyla ortalıkta gezinip, minik boyları ama onları uzun gösteren filtre programları ve kocaman egolarıyla bu dünya kendilerine kalacak sanıyorlar ve ne yazık ki o güzelim bir bardak çayı bile soğutuyorlar...

Üretin, öğretin, yardım edin... Dudaklarınızı büzerek değil, içten gülümseyerek güzelleşin. Sosyal medyanın illüzyonuna fazla kapılmayın. Çok takipçisi olunca güzel olmuyor insan. Verip de aldıklarını hesap etmeyince güzelleşiyor sanki. Bir de bence her insan o çayı sıcak içmeli. Filtrelerle değil, severek güzelleşmeli.

**" Olduğun şey,
OLMADIĞINDAN
hep daha güzel... "**

Nilgün Bodur // Sen Gittin ya Ben Çok Güzelleştim

İncecik olup mini kot şort üzeri göbeği açık bırakan tişört giymek güzel ama, bir dostla sumaklı soğan ve domates ile dürüm yaparak lahmacun yemek ve ağzın doluyken hayatı irdelemek daha güzel...

Takma kirpik taktırıp çakma Türkân Şoray olup, gözleri süze süze selfie çekmek güzel ama, sabahları gözlerini ovuştururken kirpiğim düşer mi diye düşünmemek vallahi daha güzel...

Şükrettiğin, sıradan gerçeğini biraz da düşe kalka yaşamak güzel ama geleceğin o muhteşem hayalini hiç yılmadan kurmak ve en güzel günü umutla beklemek çok daha güzel...

Hayat arkadaşın olması çok ama çok güzel ama, güvenmediğin, iyi hissetmediğin, şüphelerinden tırnaklarını yediğin, geleceğinde görmediğin ve yaptıklarını hiç hak etmediğin bir sevgilidense, evde köpeğinle tek başına *Vizontele* izlemek daha güzel...

Yüzlerce "Merhaba" diyebileceğin insanı tanımak çok güzel ama bir tane "İhtiyacın olduğu an yanındayım" diyen ve sen daha ihtiyacın olup olduğunu anlamadan yanında biten dosta sahip olmak çok daha güzel...

Tam olabilmek mükemmel olsa gerek ama ben hiç tam olmadığımdan bilemem. Tam olmak için çabalamak ve o eksik parça için hayaller kurmak ve bu yolda büyümek, gelişmek, tecrübelenmek, insan olabilmek çok ama çok güzel.

Kısacası belki de olduğun şey, olmadığından hep daha güzel...

Olacaklar ise inanın bana hep en güzel...

Siz iyisi mi beklerken maske yapın. En güzele sadece ruhunuzu değil, cildinizi de hazırlayın.

" Nihayetinde hepimiz
BOKTAN AMA
yorucu olmayan
BİR HAYATIN İÇİNDE
OLMAK İSTİYORUZ... "

Nilgün Bodur // Sen Gittin ya Ben Çok Güzelleştim

𝒴alnız çıktığım ve çok az insan tanıyarak başladığım yolda sayenizde çok kalabalıklaştım. Kendi hislerimi biriktirdim başlangıçta ve bencilce kendimi gaza getirmek için yazdım. Bir de baktım ki, ben aslında benimle birlikte birçok kişi için gaza basmışım. Önce affetmeyi erdem saydım, sonra affettiğim için yanıldığımı anladım... Önce kabullenmekten medet umdum. Sonra inat edip kabullenmeyince aradığımı buldum... Her Allah'ın günü yeni bir duyguyla sınandım ve bu yaşa kadar bazı şeyleri inanın daha henüz anlayamadım. Sadece yolum kalabalıklaştıkça çok fazla yaşama konuk oldum. Bazen bir mesaj, bazen bir yorum, bazen yolda görüp boynuma sarılma, bazen çamur atma yöntemleriyle bana ulaşanlar oldu. Ve olaylar karşısında delirmemek için yazdığım tüm tutarsız duygu tahlillerime ve ayakta kalabilmek için alttan alttan kendime ve herkese gaz vermelerime rağmen, bazen o gazı fena yuttum. Bazen de o gazla hayata tutundum ama bu yolculukta tek bir şeye emin oldum:

Kars'ta yaşayan bir kadınla, her akşam Zuma'da yemek yiyen kadın aynı kadın. O kadar aynıyız ki. İnanmak, güvenmek, başarmak, sevgili olmak, anne olmak, çiçek almak, saygı görmek, dikkate alınmak, bazen Şeyma Subaşı olmak, bazen rahmetli anneannemiz gibi analı kızlı yapabilmek, kaburga falan doldurmak, bazen de özel şoförümüzün bizi alışverişe götürüp getirdiği boktan ama yorucu olmayan bir hayatın içinde olmak istiyoruz.

Nihayetinde hayaller kurarak yanı başımızda güvendiğimiz dostlar ve hayat arkadaşımızla huzurla uyumak istiyoruz. Aldatılınca üzülüyor. Terk edilince üzülüyor. Zamanımızı olmayacak kişilerle tüketince de üzülüyoruz. Zuma'da yemek yerken de, Kars'ta peynir yapmak üzere inekten süt sağarken de, yanı başımızdaki insanları sevmek ve onlar tarafından sevilmek istiyoruz.

Anlaşılmak, birilerinin biriciği olmak, güvenmek ve gülmek istiyoruz. Kim ağlamak ister ki? Kim yalnız ağlamak ister ki?

Şu an nerede ve nasıl hissediyorsanız, inanın ki sizinle birlikte aynı endişeyi, aynı kederi, aynı güvensizliği hisseden milyonlarca insan var. Mutluluğun paylaşılınca çoğaldığından çok emin olamasam da artık, eminim ki acı paylaşılınca hafifliyor. Her nerede sıkışmış ve mutsuz hissediyorsanız bu akşam kendinizi, bilin ki yalnız değilsiniz. Sadece insansınız, kadınsınız, adamsınız...

Ve inanın bana, mezara girmedikçe sonunda; her derdi, tasayı, endişeyi bir gün aşarsınız.

Yalnız hissetmeyin ne olur. Çünkü hepimiz aynıyız...

" Sonsuza kadar
YAŞAYACAKMIŞÇASINA
hayaller biriktiririm ben.
BELKİ DE SONSUZA KADAR
yaşarım bu yüzden. **"**

Nilgün Bodur // Sen Gittin ya Ben Çok Güzelleştim

Şöyle bir özet yapayım:

Yaşadım.
Yoruldum.
Yıkıldım.
Yıktılar namussuzlar.
Ayağa kalktım.
Hafifçe dokunsalar düşecektim.
Bayağı bir ittiler.
Feci düştüm...

Kredisini ödemiş olmayı hayal bile edemediğim evimin salonundan bildiriyorum şu an.

Sahiplenmeyi hayal bile edemeyeceğim köpeğim horluyor yanı başımda ve nefesi ayak bileklerimde.

Çok satan bir kitabım var bir de.

Huzur tüm bedenimde.

Bir ara ittirilip kaktırılırken iyi niyetimi, umudumu ve enerjimi korumaya yemin etmiştim.

Ben değişmeyecektim.

İyi düşünecektim.

Hayallerim için kimseyi ezmeyecektim ama hayallerimi gerçekleştirmeme engel olan herkesi hayatımdan silecektim.

Ortaokulda bir piknikte âşık olduğum 2-C'deki çocuğu sevdiğim gibi sevecektim hep hayatıma giren erkekleri.

En yakın arkadaşım gibi karşılayacaktım her yeni arkadaşı, komşuyu, hatta Migros'taki kasiyeri.

Her şeyin ve herkesin yalan olabileceğini öğrendiğimde inanmak istemeyecektim önce. Bir direnecektim.

Sonra diplerde gezip, ağlayıp, tepinip, kendimi "insan" gibi hissedecektim. Buna bile sevinecektim.

Ama ne olursa olsun ortaokul pikniğinden döndüğüm akşam yatağıma yatıp ve gözlerimi kapayıp, 2-C'deki çocukla mezuniyete birlikte gitme hayalini kurduğum günkü gibi hayal kurmaya devam edecektim.

Ne hayallerim var benim. İçimde asla büyük bir hırsla büyütmediğim. Aksine 14 yaşındaki, kâküllerini "dolma" yapmaktan başka hobisi olmayan ve o, platonik aşklara inanan kız çocuğunun hayalleri kadar temiz olan. Hiç kimselere söylemediğim.

Sonsuza kadar yaşayacakmışçasına hayaller biriktiririm ben. Belki de sonsuza kadar yaşarım bu yüzden.

Ne yaparsanız yapın, hayallerimi almayın benim elimden. O hayallerdir çünkü beni hiç ölmeyecekmiş gibi hissettiren... Devam etmek için başka bir hisse de gerek yok zaten.

"AMA"
diyeceksen,
cümle kurma...

Nilgün Bodur // Sen Gittin ya Ben Çok Güzelleştim

*T*ürkçede en çok kullanılan 13'üncü kelimeymiş "ama". Oldum olası sevmedim "ama"ları.

"Çok güzelsin ama kişneyerek gülüyorsun" denirse, güzel olduğu mu kalır insanın aklında yoksa bundan böyle gülümsemeye bile çekinecek olması mı?

"Çok akıllısın ama bir halt başaramadın bu dünyada" denirse bir insana, akıllı mı hisseder kendini yoksa başarısız mı?

"Senden süper anne olur ama bu yaştan sonra zor" dendiğinde süper bir anne olabileceğinin ne önemi kalır bir kadının?

"Ben seni seviyorum ama ailem seni istemiyor" dendiğinde cümle içinde kullanılan sevgi mutlu edebilir mi bir insanı?

"Yüzün çok güzel ama burnunu yaptırsan süper olacak" iltifatlı küfrüyle ne kadar güzel hissedebilir ki bir insan?

"Gelirim ama aslında çok işim var" dendiğinde geldiği için karşısındaki suçluluk duymaz mı acaba?

"Çikolata aslında çok faydalı ama kalorisi yüksek" dendiğinde çikolatadan korkmaz mı insan?

"Daha yüksek maaşı, performansın sebebiyle hak ediyorsun ama şirketimizin maaş politikaları" dendiğinde bir "Of!" çekmez mi çalışan?

İşte bu yüzden sevmem "ama"ları.

Çünkü başta değerli olan her şeyi bir anda yok eder bir küçük "ama".

"Ama" demeyin bana. Öncesindeki cümleyi bir söyleyin. Bekleyeyim. Sindireyim. Tadını çıkarayım. Sevineyim...

Geri kalanları daha sonra söyleyin. Hatta mümkünse söylemeyin.

Mesela, "Ben sana git demedim ama sen gittin" cümlesinde bulunan "ama"daki çabasızlık, değersizlik ve hinoğluhinlik sebebiyle neredeyse "ama"yı listelerden sileceğim; en azından 13'üncülükten elbirliğiyle indirilmesini sizden talep edeceğim...

Ama sonra hatırladım.

Dün not defterime yazmıştım:

"Çok yoruldum ama ayaktayım, çok üzüldüm ama atlattım, çok zorlandım ama başardım. Şimdi geçmişimde değil, tam şu andayım ve tadını bakın nasıl çıkaracağım."

İşte böyle "ama"lara can kurban... Böyle "ama"lar bizi ayakta tutan. 13'üncülüğü "ama"ya şu an geri verdim. Yine bir kelimeye daha hakkımı helal ettim.

" Savaşmayı sevmekten
DAHA ÇOK SEVDİĞİMİZ İÇİN
bu kadar yalnızız aslında... **"**

Nilgün Bodur // Sen Gittin ya Ben Çok Güzelleştim

$\mathcal{P}$rofesyonel üzülüyoruz ve hep süzülüyoruz şu sosyal medyada.

Hep birileriyle savaşımız çünkü. Hatta bu savaş bazen de utanmadan kendimizle. Doyamıyoruz savaşmalara; seveceğimize, sevişeceğimize...

Sevgilisinden ayrılan, neşeli bir fotoğraf koyuyor, çoğunlukla bir sahilde hatta mümkünse bir teknede. Elinde bir kadeh buzlu blush, "İyi ki gitti giden, bak ben de dimdik ayaktayım ve hayat böyle şahane" dercesine.

İşinden atılan hemen tatile çıkıyor bir ay sonra ne yapacağını düşünmekten beyni patlasa bile, "Bende para bok, aileden zenginim, zaten işe de ihtiyacım yoktu, hobimdi" dercesine. Hatta eski çalışma arkadaşlarına "Hayat böyle süper ya!" şeklinde nispet edercesine.

Aklı olmayan, akıl veriyor mesela. Bir ara akılsız hissettiğinden olsa gerek. Yazıyor bir selfienin altına: "Salın enerjiyi, verin gazı, gülümseyin, gördüğünüzü içinize sokun, sarılın, kıskanmayın, sevin ve bu arada çiğ beslenin çünkü bunları yapan benim gibi akıllı olur" dercesine. Yazarken tırnaklarını yiyip, bacağını çevresinde oturanların "Deprem mi oluyor?" diye düşündürtecek kadar sallarken, bir gece önceki mutsuz telefon konuşmasını unutmak istercesine.

Profesyonel üzülüyoruz şu sosyal medyada. Hiç demiyoruz ki: "Dün akşam beni aramayan adama uyuz oldum" ya da "Kayınvalidemin tarafını tuttuğu için kocamı kapıya koymak istiyorum" ya da "Ay sonunu nasıl getireceğim bilmiyorum" ya da "İlk mesajı ben atmayacaktım, bak götü kalktı, storylerime bile bakmıyor artık."

Profesyonel üzülüyoruz. Sınavsız, tasasız, şanslı ve güzel görünüyoruz. Bir Allah'ın kulu da çıkıp demiyor ki, herkes neden bu kadar mutlu, zengin ve güzel? Kullandığımız filtrelerle yarattığımız kadınlara benzemek için estetik ameliyat parası biriktiriyoruz. Bu uğurda kredi bile çekiyoruz.

Çok profesyonel üzülüyoruz. Eskiden sadece sahne sanatçıları için geçerli olan bu erdemi çılgınlar gibi sahipleniyoruz. Çünkü her gün sosyal medyada sahneye çıkıyoruz.

İyi seyirler Türkiye... Bugün cumartesi... Sosyal medyada tavan yapar birazdan çok kişili yalnızlık gösterileri. Eve döndüğünde mutlu musun? İşte bu en önemlisi. Gerisi işin "story"si...

"OLMAYAN HER ŞEYE
daha çok şükrederim
BEN MESELA.
Huzurumu bozamam
OLMAYANLARA.
Bu ruhu yolda
BULMADIM BEN.
Olanda hayır
arıyoruz ya hep.
ASIL HAYIR OLMAYANDA... "

Nilgün Bodur // Sen Gittin ya Ben Çok Güzelleştim

$\mathcal{R}$astlantı sanın siz ilk kopya çektiğinizde yakalanmanızı... Yakalanınca, emek vermeyi öğrenirsiniz. Lisede coğrafya sınavında çektiğim kopya sebebiyle "0" alınca ve maddi imkânsızlıklar sebebiyle aldığım bursu kaybetme raddesine gelince anladım riyanın Hak tarafından bana yakıştırılmadığını. Emeksiz başarmaya hiç gönlüm razı olmadı sonrasında. Emeklerim de karşılığını gördü en sonunda. Kopyadan yakalanmak bana çalışmayı öğretti.

Rastlantı sanın siz, en yakın dostunuz arkanızdan konuşup canınızı yakınca, anlamlar yüklediğiniz bir arkadaş iki cümle ile hayatınızdan çıkınca, sizin için çabalamayınca. Çocukluğumu, evimi, hayallerimi, acılarımı paylaştıklarım; paylaştıklarımla vurdu beni. Ama nice melekler girdi hayatıma sonrasında gönlümde doğruya yer açınca. Yalan dostluklara ne kadar çok vakit harcadığımı anlattılar bana. Kelimelerle de değil üstelik. Benim canım acıdığında onlarınki de acıyınca ve mutlu olduğumda, onlar da mutluluktan ağlayınca.

Rastlantı sanın siz, yıllarca emek verdiğiniz aşklar basit bir bahaneyle sonlanınca. Paralarsınız hep kendinizi sonrasında. Yıpratırsınız güzelim ruhunuzu pervasızca. Unutursunuz, dünyanın sonu sandığınız şeyin sizin için bir başlangıç olduğunu ve sonlanan her şeyin sizden büyük bir sebebi olduğunu: Giden doğru olmamıştır ve doğru olan yola çıkmıştır. Şöyle havalı bir fön çektirip, kapıyı güzel açmak lazımdır.

Kimine göre her şey kötü bir alın yazısıdır ama aslında daha iyisinin gelmesi için yollarınız yıkanmaktadır.

Giremediğimiz iş, elini tutamadığımız aşk, yalan bir dost yıkamaz bizi. Buraya yazıyorum, daha güzelleri gelmezse burada bulursunuz beni. Bana hep daha güzeli geldi. Ya da en azından giden gözümde aniden çirkinleşti. Sanırım arkasından baktığımda ense tıraşı çok iyi değildi. Hiç arkasından bakmayınca görmüyor işte insanın gözleri.

Olana şükrettiğimiz kadar, olmayana şükretmek lazımdır.

Olmayan her şeye daha çok şükrederim ben mesela. Huzurumu bozamam olmayanlara. Bu ruhu yolda bulmadım ben. Olanda hayır arıyoruz ya hep. Asıl hayır olmayanda. Bunu yazın bir kenara. Dönüp dönüp okursunuz sonra, canınız yandığında, sırtınızdan bıçaklandığınızda, işten atıldığınızda, adam sandığınız adam çıkmadığında.

66 Kahvaltıdaki beyazpeynir, kahvedeki sohbet, çaydaki dem, yüzdeki gülümseme, hayattaki umut, düğündeki halay, aşktaki coşku, WhatsApp'taki 'yazıyor' gibidir **KÜÇÜK DETAYLAR. HAYATI GÜZELLEŞTİRİR... 99**

Nilgün Bodur // Sen Gittin ya Ben Çok Güzelleştim

$\mathscr{M}$esela pilotun ses tonu önemlidir. Zaten havada nasıl durduğuna akıl sır erdiremediğimiz bir demir yığınını bir de davudi sesi olmayan bir pilot uçurmamalıdır. Umursamaz, hafif egolu, derinden gelen, güven veren bir anons lazım bize. (Pilotlarda kabul edilebilir bir özellik. Diğer mesleklerde kaldıramam. Egolu pasta şefi, itfaiye eri, ekipler amiri veya kimya mühendisi istemem mesela.) Türbülans olursa aynı ses bizi teselli edecek sonra. "Bulunduğumuz yükseklikteki hava şartları sebebiyle lütfen yerlerinize oturunuz ve kemerlerinizi bağlayınız" dediğinde hipnoz etmesi gerek bizi pilotun ses tonuyla. "Yok bir şey" dedirtmesi gerek. "Olsa da bir şey bu ses tonuyla kurtarır o bizi" demek gerek. Anonslarının İngilizce mealini okurken seri konuşan ve ne dediği anlaşılmayacak kadar hızlı bir şekilde "Have a nice flight" diye cümleyi bağlayan pilot bizdendir. Bakın işte bir ses tonu nelere kadirdir.

"O da sevdi" cümlesindeki "da"nın ayrı yazılması da önemlidir mesela. "O da sevdi..." Oda nasıl sevsin seni? Nesneler sevmez insanları. Hıyarlar dışında. Onlar da sevdiğini sanır ama aldanır. Tüm anlamını yitirir cümle ve bir boşluk ile ayırarak "da" ile "o"nu, tek sevenin sen olmadığını anlatırsın karşındakine ve en büyük teselliyi verirsin kendine. "Da"yı ayırmak önemli, ayrılıklardan sonra. Ben sevdim yetmez çünkü, onun da sevmiş olması gerekir ayrılığı kaldırmak için. Bağlaca düşer burada iş ve cümleyi o bağlaçla kuran ve bağlacı tek boşlukla ayırabilen âşığa...

Mesela "günaydın"ın arkasından gelen "canım" mutlu hissettirir günaydın diye selamlananı. Ardından "canım" yazmayacaksan bir "günaydın"la günü aymaz kadınların. Mümkünse zaten tek "m" de olmasın. "Canımmmmm" yeterli olur gün aymasına. Hatta yeter de artar bile böyle ufak şeylerle mutlu olan bir kadına. Bir "günaydın" yetmez karşısındakine umut bağlayana, onunla hayaller kurana.

Demediğin günaydınlar bitirmez de bazen bir tutkuyu, kuru bir günaydın mahveder tüm duyguyu...

Hayatta her detay, vücudumuzdaki hipofiz bezi gibidir. 0,5 gr ağırlığındaki bu organcık, tüm bedenimizin yönetimini ve tüm hormonlarımızı denetler. Miniciktir ama bedenimizin en büyük idarecisidir. Olmazsa olmazımızdır.

Kahvaltıdaki beyazpeynir, kahvedeki sohbet, çaydaki dem, yüzdeki gülümseme, hayattaki umut, düğündeki halay, aşktaki coşku, WhatsApp'taki "yazıyor" gibidir küçük detaylar. Hayatı güzelleştirir...

Küçük detaylarla gelin bana... Büyük resme bakamam ben. Detaylardır beni hep mutlu eden. Âşık olayım mesela ve aptalca bir gülümseme yerleşsin suratıma... Yeter... Ve ben aptalca gülümsediğim için koskoca bir hayatı seveyim... Büyük olan her şey çok küçük aslında. Küçücük mutluluklar verin bana. Kalsın büyükleri, küçük şeylerle mutlu olamayanlara.

" GÜZEL GÖRÜNMEK
güzel elbise değil,
GÜZEL YÜREK İŞİDİR... "

Nilgün Bodur // Sen Gittin ya Ben Çok Güzelleştim

$\mathcal{B}$aşkalarının yaptıklarını, yapacaklarını, yapmadıklarını, yapamadıklarını atmaca gibi dikizlemek yerine, ne olur siz yapın ya da yapmayın. Hatta deneyin, yapamayın. Yapamazsanız Instagram'a koymazsınız, olur biter.

Verdiğiniz önemi görmeyenin, görüp de görmezlikten gelenin, kanıksayanın, anlam yüklemeyenin, lanet olasıca poposunu ne olur kaldırmayın. Mesela Instagram'da fotoğraflarını "like"lamayarak işe başlayın.

Sizi sevenler olacak. Sizinle gözünün içi gülenler olacak. Sizi her şeyden ve herkesten üstün görenler olacak. İşte onların bu duygularını ne olur sizi sevmeyenlerin sevgisini kazanmaya çalışırken karşılıksız bırakmayın. En azından Instagram'da fotoğraflarını "like"layın.

Gülümsemek ne kadar zor olsa da bazen, dünyanın kahkahanıza ihtiyacı var. Derin bir elem, çaresiz bir dert içinde değilseniz, ne olur çevrenizdekileri güler yüzünüzden mahrum bırakmayın. Gülünce çok tatlı oluyor insan. Hatta o an fotoğraf çekip Instagram'da paylaşın, bol bol "like" alın.

Affedin. Affetmeyi öğrenin. Ama ne olur sürekli aynı hatayı maharetmiş gibi yapanı ve affetmelerinizi tekrar hata yapmaya fırsat sayanı bir daha affetmeyin. Direkt Instagram'da bloklayın.

Güzel görünmek güzel elbise değil, güzel yürek işidir. Elbiselerinize kazandığınız paraları hunharca harcarken, ne olur para harcamadan da güzel olabilecek kalbinizi temiz tutmayı ihmal etmeyin. Ama yine de Instagram'da güzel elbiselerle fotoğraf paylaşın. Çok laf ediyor takipçiler sonra.

Aynadaki görüntü herkesten önce kendimiz için önemli. Ne olur moda oldu diye 1980'lerde nişan bohçasına annelerimizin koyduğu yüzüne bakmadığımız tokalı deri terlikleri Gucci yapmış diye binlerce lira verip *Walking Dead*'deki zombiler gibi ayaklarınızı sürüyerek ortalıkta gezmeyin. Bunun Instagram'la alakası yok.

Bir anı, koca bir ömre mal edip, huzuru ve tasayı sonsuz sanmayın.

Ama o bir anı, ne olur koca bir ömür gibi yaşayın.

Instagram'da da paylaşın...

• **Kilo alamadığı için mütemadiyen şikâyet eden zatı**

• *Tatil fotoğrafımızı hasetten "like"lamaya yerinen sinsi akrabayı*

• **Biz çalışırken tatile çıkan ve bilmemdir kimin teknesinde (o tekneli arkadaştan bir bende yok) renkli kokteyllerle poz veren iş arkadaşını (sinsi akraba modunu ben yaşayınca haklı bir sebebi oluyor tabii)**

• *Instagram'da takip ettiğimiz halde bizi takip etmeyen ukalayı (bu bağlamda Jennifer Lopez'e çok bozuluyorum)*

• **Nutella ile beslenip karın kası yapan ve metabolik hızı sesten hızlı olan adı batasıcayı**

• *Sosyal medyada hayatın sırrını paylaştığını sanarak gülümseyen selfiesinin altına "Güne gülerek başla. En büyük hediye bugündür sana" yazıp beğeni sayan organizmayı*

• **"Mrb." yazarak ve karşılık alacağını sanarak DM'den kadınlara yürüyen, gereksiz özgüven mağdurlarını**

• *Abajur gibi durarak, hiç yorulmayarak, kafa patlatmayarak para kazananları*

• **#nofilter deyip yüzüne dört kat fondöten sürdüğü ve 1,5 saat kontür yaptığı ve annesinin kendisini tanımadığı fotoğrafı "doğal halim" adı altında paylaşanları**

• *Kafasını yastığa koyar koymaz uyuyanları*

• **Bir de çok fena güzel bulduğum için Adriana Lima'yı**

Sevemiyorum.

"HAYAT

'BEN YAPMAM'

diyenlerin

YAPTIKLARIYLA

geçiyor... "

Nilgün Bodur // Sen Gittin ya Ben Çok Güzelleştim

*G*ünaydın! Bugün pazartesi. Mönüde avokadolu trüf var. 20 sene önce avokado ve trüf kelimelerini cümle içinde kullanmak mümkün değildi. Çünkü kendilerinden bihaberdik. Şimdi ise avokado olmadan bir yanımız eksik kalacak gibi. Değişim böyle bir şey işte. Çaktırmaz asla. Bir bakarsın usul usul değişmişsin. Yapmam dediklerini yapar, yemem dediklerini yer, söylemem dediklerini söyler, sonra da "Allah Allah!" dersin. Kendine şaşırır, yaptıklarına anlam veremezsin. Değişmek zaruridir oysa. Kendini bilmek, olaylar karşısında yapacaklarını kestirmek, ben böyleyim demek mümkün değil bana göre. Hayat, kendini bildiğini söyleyen insanların kendilerini bile şaşırtmalarından ibaret. Bu sebepledir ki kendilerini anlatanların sözlerine itimat etmem. Ben bile bilemezken, bir kurşun sıkıldığında kendimi sevdiğime siper mi edeceğimi ya da batan Titanic'te, yüzen tek kişilik tahta parçasını herkesten önce yakalamak için depar mı atacağımı, aldatıldığımı anlarsam mağrur mu kalacağımı yoksa cinnet getirip kapıları mı yıkacağımı, parasız kalırsam pazarda limon mu satacağımı bilemezken, kendini sözlerle tasvir eden kimseye güvenmem. Hayat "Ben yapmam" diyenlerin yaptıklarıyla geçiyor. Zaman ise herkesi karşısındakine sözlerden daha iyi tasvir ediyor. Kabul edelim, değişiyoruz ve biz bile kendimize yaptığımız sürprizlerle şok geçiriyoruz. Kelimeler insanları tasvir etmez. Zaman ve olaylar değer insanlara. Değişirler. Bu sebeple kimseye sıfat bulmak gerekmez. Bugün erdemli olan, yarın nankör olabilir; bugün mutlu olan, yarın ağlayabilir; bugün çift kaşarlı sucuklu tost yiyen yarın avokadolu trüf yiyebilir.

Ömür uzatmanın 10 yolu:

- Önemsemeyeni, önemsemeyeceksin.
- Gitmek isteyenin biletini hemen keseceksin.
- Hatayı bir kere affedeceksin, tekrarında sileceksin.
- Üreteceksin ya da en azından sadece tüketmeyeceksin.
- Güleceksin ya da en azından gülüp geçeceksin.
- Avokado yerken baklavayı ihmal etmeyeceksin.
- Yermeyeceksin.
- Boş prensipler edinmeyeceksin. Esneyeceksin.
- Hareket edeceksin.
- Aynadakini çok seveceksin. Sevmeyeni sileceksin.

**" BİRİNİN
en büyük
HATASI,
başkasının
EN BÜYÜK
doğrusu
OLABİLİR. "**

Nilgün Bodur // Sen Gittin ya Ben Çok Güzelleştim

$\mathcal{Y}$az sıcakları, Merkür retrosu, dolunay, meteor yağmuru ve müstakbel Güneş tutulması derken içim dışım atar, gider oldu. Sanki vücudumun %70'i su ve %30'u gider... Su oranım da düştü sanırım Chia'yı çişe çıkarma çabamla. Kas olmamıştır ama geriye kalan eser miktardaki fark, yağ olmuştur kesin yine, suçunu dolunaya yüklediğim bir parça baklavayı hüpletmem sebebiyle...

Çok bozuluyorum yine bir şeylere. Örneğin yaşına, başına, tecrübesine bakmadan, sadece herkese sempatik davranmanın önüne geçemiyorum diye, hadsizce, yaptığım her şeye dair fikir yürütenlere, akıl verenlere, ben demiştim demek için gün bekleyenlere, ben demiştim deyince "Oscar" almış gibi sevinenlere dayanamıyorum, özellikle Merkür retrosu dönemlerinde.

Deliklerinden beynini gördüğüm estetikli burnunu işime sokanlara, Türkçeyi düzgün konuşamazken, yabancı dilde "Relax ol, baby" tadında teselli vererek hiç de teselli aramayan bünyemi darlayanlara, marketten elma alsam, pazarda daha iyisi var diyen ve beni zorla pazara falan götürmeye çalışan insanlara, olmayan akıllarını bana ve çevresindeki herkese azar azar, teker teker ya da üçer beşer, yani bilumum üleştirme sıfatıyla dağıtmaya çalışanlara sanırım dayanamıyorum...

Ben yanlış yapacağım, tamam mı? Yanlış işler yapıp, para falan batıracağım. Yanlış adama âşık olup, acıklı şiir falan yazacağım. Yanlış marketten kaju fıstığı alıp, zarara uğrayacağım. Güneş koruyucumu sürmeyi unutup, suratım harita gibi dolaşacağım. Çilek yemekten vazgeçemediğim için, reflümü göz göre göre azdıracağım, kavun üzerine su içip cırcır olacağım. Yanlış insanlarla takılıp pişman olacağım. Karbonhidratı kesmeyip hep değirmen taşı gibi bir popo ve düğmesi iliklenince kenardan can simitlerimi çıkaran bir pantolonla ortalıkta salınacağım. Kâkül kestirmeyip uçak pisti gibi olan alnımı iyice ortaya çıkaran topuzumla fink atacağım. Ben yanlış yapacağım.

Çünkü bu hayat benim ve bu zamana kadar bir tek şey öğrendim. Yanlışın ve doğrunun ne olduğunu kimse en baştan bilmiyor.

Kiminin en büyük hatası, başkasının en büyük doğrusu oluyor. Seni üzen adam, bir başkasını mutlu ediyor. Senin batırdığın yatırım, birinin ekmek teknesi oluyor. Seni kovdukları iş, başkasının terfisi oluyor.

Geriye sadece "Ben demiştim" demek isteyenlerin %50 mutlu olabilme ihtimali kalıyor... Çünkü onlar kendi hayatlarını yaşamak yerine, başkalarının hayatları üzerinde kumar oynuyor.

Evlerinde oturup risksiz ve kusursuz hayatlarını sürerken uzaktan; gümbür gümbür yaşayan, tökezleyen, yaralanan ama hep ayağa kalkan ve gittikçe daha güçlü olan insanların hayatlarının üzerine bahse giriyorlar.

Bırakın, en büyük zevkleri "Ben demiştim" diyebilmek olsun... Bırakın siz yaşarken, onlar konuşsun. Bırakın sizin kanlı canlı sürdürdüğünüz yaşamınız başkalarının tiyatro oyunu olsun. Sahne sizin... Bırakın "Ben demiştim" diyenler o sahnenin tozunu yutsun...

" Hiddete ve coşkuya
ÇABUK KAPILMAYIN.
İkisi de fena aldatıcı... **"**

Nilgün Bodur // Sen Gittin ya Ben Çok Güzelleştim

Spor sonrası canım börek çekti. Öncesi de çekiyor. Spor esnasında da ve hatta hiç spor yapmadığımda da. Dev gibi bir bostan patlıcanı almıştım. Onu közledim dün. Yarısıyla omlet yapmıştım. Diğer yarısıyla da tava böreği yaptım. 1/2 bardak glütensiz karabuğday ununu bir kaba koydum. Yarım çay kaşığı karbonat, iki yumurta beyazı, bir yumurta sarısı, yarım bardak annemin mayaladığı yoğurttan koydum içine. Bir diş sarmısak, biraz karabiber, ha bir de 50 gr kadar keçi loru... Karıştırdım, tavaya döktüm. Altlı üstlü pişirdim. Önce yüksek sonra düşük ısıda. Yani tipik ruh halimde pişti karabuğdaylı, patlıcanlı böreğim. Önce yükseliyorum hep öfkeyle ya da aşkla; sonra düşük ısıda pişiriyor hayat beni kanımca... Düşük ısıya geçmesem patlıcanlı böreğin içi pişmeden dışı yanar. Duygularımı dizginlemeyince de benim dışım güler, içim kanar... Tava böreğiyle benzerliğim çok şaşırtıcı. Bir tek şeye eminim. Bu dünyada uçlardaki duygular geçici, sükûnet ve huzur kalıcı... Huzurlu bir gün olsun. Hiddete ve coşkuya çabuk kapılmayın. İkisi de fena aldatıcı.

Bir adım geride durması gereken insanları yanında tutuyorsun ya.

Ondan şimdi karşındalar...

Karşıdan bakınca her şeyi daha iyi görüyorsun ya...

Ondan geride kalmalılar...

" HAK ETTİKLERİNİZİ

dilenmediğiniz bir gün olsun. **"**

Nilgün Bodur // Sen Gittin ya Ben Çok Güzelleştim

$\int$por sonrası kahvaltımı yaptım bugün yine. Aç karnına seviyorum ben sporu. Sonrasında ise hak etmişlik hissini. Karabuğday unundan krep yaptım. 1/2 su bardağı karabuğday unu içerisine 1 yumurta, 1/2 bardak yağsız süt, biraz vanilya ve bir tatlı kaşığı da bal koyup çırptım. Göz kararı yapın siz ama. Sıvı bir hamur elde edeceksiniz. Yağsız tavada önce yüksek sonra düşük ısıda pişirdim. Sonra fıstık ezmesi sürdüm ve muz koyarak rulo yaptım. Tatlı ihtiyacım tavan yapmıştı. Şimdi rahatladım. Hak etmiştim zaten. Hakkımı aldım. Kimsenin vermesini beklemedim. Kendim yaptım. Hak öyle bir şey zaten. Senin olanı sunmaz hayat önüne. Önce sabredersin, sonra beklersin, sonra istersin... Bir yüzün kararır bu süreçte ve iki yüzü kara insanlara yenilirsin. Sonra biraz dinlenirsin, kendini dinlersin ve en sonunda hak ettiğini dilenmeden söke söke almayı ya da kendine vermeyi öğrenirsin. Hak ettiklerinizi dilenmediğiniz bir gün olsun. Kimse altın tepside sunmasa da onları size, siz kendinize sunun... Siz, size iyi davrandıkça, hak ettikleriniz hep çıkacak karşınıza. Bugün belki sadece küçük bir mutfakta ama belki yarın koskoca bir hayatta...

"Unutmayın ölüler HER ZAMAN YAŞAYANLARDAN daha fazla çiçek alır. ÇÜNKÜ PİŞMANLIK MİNNETTEN daha çok acıtır..."

Nilgün Bodur // Sen Gittin ya Ben Çok Güzelleştim

e safız hepimiz...
Yapmamamız gereken her şeyi yapıyoruz.
Sonunda telefonla arayacağımızı, aptallıktan mumla arıyoruz...
Vermediğimiz kıymeti
göstermediğimiz sevgiyi
esirgediğimiz ilgiyi
zaten iki gram olan empatimizi
imama lazım olacak diye sanırım
pamuklara sarmalayıp saklıyoruz.
Yarım bıraktığımızı, başkası tamamladığında ise apışıp kalıyoruz.
Unutmayın ölüler her zaman yaşayanlardan daha fazla çiçek alır.
Çünkü pişmanlık minnetten daha çok acıtır...

" Umudu kırılan VARSA ARAMIZDA, hata umudu kıranda **DEĞİL ASLA.** Umudunu kıracak insana **UMUT BAĞLAYANDA,** zaman harcayanda. **"**

Nilgün Bodur // Sen Gittin ya Ben Çok Güzelleştim

$\mathcal{K}$arşımızda kim varsa ve içimizi biraz acıtsa onu suçluyoruz. Çevresinde dolanıp, hiç vazgeçmeden savaşıp, güzel cümleler kurarak laf anlatıp, güzel zamanımızı ikna, naif bir affetme isteği ve düzelecek bir şeyler var umuduna pervasızca harcayıp, onu suçluyoruz...

Tükenen umutlarımız, yıkılan hayallerimiz ve karşılıksız bırakılan fedakârlıklarımız için, o güzel cümleleri sindiremeyen, sindirmeyi bırak, büyük ihtimalle dinleyemeyen, kendi dünyasında yaşayan, empatinin kelime karşılığını anlayamayan, anlatılınca anlamsızca başını sallayan, başını sallayınca bile içimizde bir umut yaratan bu insanları elde edemediğimiz her güzel duygu, her sevinç, her mutluluk için suçluyoruz.

"Neden?" diye soruyoruz.

Neden diye sorarsan bir insana, verecek bir cevabı vardır mutlaka. Genelde bu cevap pişman eder seni neden diye sorduğuna. Neden diye sormaya başlayınca bitmiştir her şey oysa.

Biz başımıza gelen her felaket, akan her gözyaşı, cevapsız kalan her soru, tatmin edilmeyen her duygu için onu suçluyoruz...

Hata bizde...

Gitmek zamanı geldiğinde gitmemelerimiz, "Gel bir daha yap" dercesine affetmelerimiz, kelimelerimizi duymayanlara işittirmek için direnmemiz, ah o hep katıksız, içten, umutla sevmelerimiz yüzünden hata hep bizde...

O yürek dilde ya ve yürek hep temiz ve güzel ya... Kirliyi, bencili, kötüyü, şerefsizi anlayamıyor...

Umudu kırılan varsa aramızda, hata umudu kıranda değil asla... Umudunu kıracak insana umut bağlayanda, zaman harcayanda...

Akıl vermiş Allahım... Saksıyı çalıştıracaksın... Bin kere kırılıp, bin kere yapıştırıldığın için bir gün dağıldığında şaşırmayacaksın... Bu hayatı başkasını ikna etmek, düzeltmek ve kendini zorla sevdirmek için harcamayacaksın... Yukarıdan bir bakıp hayatına, "Ben ne yapıyorum?" diye sorgulayacaksın. En kolayı karşındakini suçlamak. Onun karşında durmasına izin verdiğin için kendini suçlayacaksın. Akıl vermiş Rabbim... Zorlanınca tırmalamayacaksın... Kaçmak gerekir bazen. Kalıp da ağlamayacaksın.

" Anlatmak istediğini değil de, anlamak istediğini anlayanlar için söylenen her söz fazladır. **SÖYLEMEYİN... "**

Nilgün Bodur // Sen Gittin ya Ben Çok Güzelleştim

*Ü*zerinize giydiğinizde çıplaklığınızı örten her kumaş için değer aynıdır.
Kardashian ailesi o markadan giyiniyor diye
bir tişörtü sekiz takside böldürüp, araba kredisi öder gibi ödersiniz ya.
Ödemeyin...

Karşınıza geçip sizden medet uman her kişiye
medet umulduğunuz için havaya girip
elinizdeki ve yüreğinizdeki her şeyle birlikte
en kıymetli şeyinizi yani zamanınızı göz kırpmadan verirsiniz ya...
Vermeyin...

Âşık olmak umudu, hayali ve toplum baskısı sebebiyle
insancıklara insan muamelesi yapıp
insancıktan beter duruma düşersiniz ya...
Düşmeyin...

Değerli vaktinizi, gazetelerin ikinci sayfasında yer alan, ana faaliyet olarak yazları tatil yapan ve kışları barlara koşan...
İnanın sizin merakınız sayesinde ünlü olan ve emin olun maaşınızdan kesilen vergi kadar vergi yükümlülüğü olmayan...
Ne iş yaptığını bir türlü çözemediğiniz insanların başına gelenleri okuyarak geçirirsiniz ya.
Geçirmeyin...

Instagram'da pürüzsüz ve incecik gördüğünüz kadınlara benzemek için binlerce lira harcarsınız ya. Dev gibi gözenekleri var onların ve çok iyi filtreleri. Portakal kabuğu kıvamında üst bacak derileri ve bellerinde can simitleri (kendimden biliyorum). Ama belki ne sohbetleri vardır kahve yanında ne de güzel yürekleri. İşte yine de onlara benzemek istersiniz ya...

İstemeyin...

En önemlisi...
Anlatmak istediğini değil de
anlamak istediğini anlayanlar için
söylenen her söz fazladır.
Söylemeyin...

**" TAKİPÇİM FAZLA DİYE
BENİ BİR ŞEY SANMA.**
Evimde yalnız ağlıyorum hâlâ
ve korkuyorum mutlu olunca... **"**

Nilgün Bodur // Sen Gittin ya Ben Çok Güzelleştim

*N*e zaman bir atarım olsa selfie çekerim bilirsiniz. Küçük insanlar konuşurmuş. Büyükler ise konuşulurmuş. Ben ise konuşulunca büyüdüğümü düşünmedim hiç. Çünkü ülkemizde o kadar küçük insanlar konuşuluyor ki, bu duygu bende fark yaratmıyor. Mutsuzluğum konuşulursa hiç takmıyorum da, yanlışlıkla mutlu olursam bir Ayet-el Kürsi, bir Felak, bir Nas okuyup üzerime üflüyorum nefesimi. Mutluluk, düşmanları artırıyor günümüzde çünkü. Diyeceğim o ki bu aralar mutluyum. Evi sirkeli suyla temizleyip, adaçayı yakıp, dua falan da ediyorum ama mutsuz olunca beni ayağa kaldıran umudum, mutlu olunca yerini endişeye bırakıyor. Sebebi mutluluktan hazzetmeyen küçük ruhlar. Instagram'ımı hacklemeye çalışacağınıza, laf tıkacağınıza, iftira atacağınıza evde sağlıklı yemek, organik maske falan yapın; ya da oturup egolarınızdan uzaklaşıp içinde çırılçıplak olduğunuz bir kitap yazın... Konuşulunca da havalarda uçmayın. Kendinizi buraya kazık çakmış sanmayın. Başarıdan başarıya koşan ama adını bile bilmediğimiz değerler var bu dünyada. Takipçin fazla diye kendini adam olmuş sanma. Yarışın kendinle olsun. Aynaya bak ve de ki: "İz bırakabilmek için ne yapabilirim?" İz bırakanları konuşmaya başlasak keşke. Gazetelerin magazin köşelerinde neden yer aldığını bilmediğimiz insanları değil. Bir gün Nobel ödülü falan alırsam konuşun beni mesela. O güne kadar fani bir ruhum bu çivisi çıkmış dünyada ve çivisi çıkanların konuşulduğu yurdumda. Takipçim fazla diye beni bir şey sanma. Evimde yalnız ağlıyorum hâlâ ve korkuyorum mutlu olunca. Herkes kadar insanım. Havam Instagram'da.

BİZ DOĞRU OLDUKÇA,
eğriler utanır.
Biz kendimize güvendikçe
BAŞKALARINDAN
beklentilerimiz azalır.
BİZ SADECE
kendimizle yarıştıkça,
RAKİPLER KALAKALIR.

Nilgün Bodur // Sen Gittin ya Ben Çok Güzelleştim

İşimiz gerçekten zor...

Parkta salıncak sırası bekleyen bir çocuk gibi sıraya girmiş, mutlu olmayı bekliyoruz.

Bazen bir şehri bir insan yüzünden sevip, gün gelip yine aynı insan yüzünden terk etmek istiyoruz.

Suretimizi güzelleştirmek için maskeler yapıp, içeriden oluk oluk kanıyoruz.

Âşık olana kadar âşıkları tedavi edip, âşık olunca en baba hasta biz oluyoruz.

Yanında gezemediğimiz insanların profilinde fellik fellik geziyoruz.

Büyüdük sanıyoruz; oysaki onların bizi gördükleri boyutta kalakalıyoruz.

Konuşmak istediğimizde susuyor; susmak istediğimizde cevap vermek zorunda bırakılıyoruz.

Hissediyoruz ama zamanımızı hissettiklerimizi hissetmemek için harcıyoruz.

Bedelini kendimizin ödediği hatalar yapıyoruz ama bir de diğerlerine hesap veriyoruz.

Oysaki:

Biz kimseyi aptal yerine koymayan, merhametli ruhlarız.

Dürüstlüğümüz sebebiyle azarlandığımız zamanlara inat dürüstlükten ödün vermeden başarıya ulaşanlarız.

Sevmeyi iyi bilip öğretmekten de asla gocunmayanlarız. Verdiklerimizin hesabını tutmayacak kadar özgüvenli, aldıklarımızı saymayacak kadar mağrur insanlarız.

İnanmalıyız ki:

Biz doğru oldukça, eğriler utanır.

Biz kendimize güvendikçe, başkalarından beklentilerimiz azalır.

Biz sadece kendimizle yarıştıkça, rakipler kalakalır.

Varsın hayat bize gülmesin.

Varsın mücadelesiz kazananların dünyasında mücadelemiz hiç bitmesin.

Varsın beklediğimiz her kimse veya her neyse bugün de gelmesin.

İnanın bana evren bir gün merhameti ve vicdanı ödüllendiriyor.

Hayal bile edemeyeceğiniz her şey bir anda gerçek oluyor.

Mesela:

Sessizce, kimseler görmeden yazdığınız satırlar bir gün kitap oluyor.

Kalabalıklar içinde yalnız hissederken, artık evde tek başınayken bile odanız bir şekilde kalabalık oluyor.

Aşk gitse de, gelmesi an meselesi oluyor.

Aşkın en güzel yanı zaten tam da işte o an oluyor.

Başınızın üstünde bir çatı, aileniz, sağlığınız, gerçek dostlarınız ve güzel gönlünüz olunca, inanın bana bir gün her şey siz bile fark etmeden yoluna giriyor...

" Mükemmel olmamak
MÜKEMMEL... "

Nilgün Bodur // Sen Gittin ya Ben Çok Güzelleştim

$\mathcal{K}$orktuğum için kaydıraklardan kayamadım çocukluğumda ve hiç kayıkla gezemedim Menekşe sahilinde su alır diye...

Yıllarca sokak hayvanlarının başını okşayamadım, ısırıp etimden parça koparırlar diye...

Herkes lunaparkta gondola binerdi... Ben hiç binmedim. Tam tur atarken midem bulanır, kusarım diye...

Hiç uçan balonum olmadı benim. Korktum. Uçar diye...

Sonra büyüdüm.

Hiç âşık olduğumu önce ben itiraf etmedim güzel bir adama. Korktum. Kaçar diye...

Hiç geç kalmadım işe. Korktum. Patron işten atar diye.

Hiç ağız tadıyla güvenemedim insanlara. Korktum. Acı çekerim, umudumu kaybederim diye...

Şimdi ise tek korkum kaldı geriye.

Hata yapmaktan ödüm patlıyor.

Hata yaptıklarında affettiklerim, beni affetmez diye...

Hata yapmak bana yakışmaz diye...

Hata bende güzel durmuyor diye...

Oysaki hata yapmadan yaşamak, denememek demek...

Bilmemek demek...

Hata yapmadan insan olmaya çalıştım.

Olamadım...

Ben hata yapmak zorunda kalmadan güzel de duramadım...

Öyle güzel olmak çok kolay...

Onca hataya ve affedilmemeye rağmen biz olduğumuz için bugünkü insanız...

Hatasız güzellik yok kimse için...

Biz hatalarına rağmen güzel olan, güzel kalan insanları severiz...

Pişmanlık hatada değil, kusursuzlukta başlar bizim gibiler için...

Kusursuz ama sıkıcı bir hayata, hatalı ama çok mu çok tatlı bu hayatımızı tercih ederiz...

Bize rağmen, onlara rağmen inanın çok iyiyiz...

Hatalı bir tende, hatalı bir ruhta insan olmayı, insan kalmayı görev biliriz...

Kusursuz bir hayatı kime söyleyelim?

Sıkıntıdan vallahi dinlenmez mükemmelliğimiz...

Mükemmelin yanından bile geçmediğimiz için inanın, biz böyle çok güzeliz...

Eskidenmiş o dağı delip, sevdiğine kavuşmaya çalışmalar.

Şimdi arabasını garajdan çıkarıp yanına gelmek isteyen bulursan evlen...

Çok öncedenmiş mektup yazıp, aylarca cevap beklerken sadık kalmalar.

Şimdi Whatsapp'ta gece en son sana yazanı bulursan evlen...

Çok öncedenmiş, camdan bakan komşu kızına âşık olup yıllarca peşinde koşmalar.

Şimdi Instagram'dan sana yorum yapıp utangaç maymun gönderen bulursan evlen...

" BAZEN
unutmak,
BAZEN
unutmamak
GEREK.
Ama unutanı
MUTLAKA
unutmak
GEREK... "

Nilgün Bodur // Sen Gittin ya Ben Çok Güzelleştim

Hayatta Unutulması Gerekenler:

- Hak edene yaptığın iyilik
- El âlemden gördüğün kötülük
- Sevdiğine duyduğun küskünlük
- Bazen hissettiğin o güçsüzlük
- Hayatın getirdiği tahammülsüzlük
- Sana travma yaşatan o öküzlük

Hayatta Unutulmaması Gerekenler:

- Varlığında bonkörlük
- Darlığında şükürlülük
- Her sözünde dürüstlük
- Bazen haksızlığa sessiz kalarak göstereceğin büyüklük
- Bazen de haksızlık karşısında göstereceğin ödünsüzlük
- Ama ön önemlisi kaçınılmaz ölümlülük

"YALNIZLIK İKİ KİŞİLİK

mutsuzluktan güzeldir.
Bir gün yine seversin, geçer... "

Nilgün Bodur // Sen Gittin ya Ben Çok Güzelleştim

*B*alkonda dostlarla tüm iştahınla yemek yerken minik bir örümcek bacağına tırmanabilir sinsice. Korkma... Senden büyük canı mı var? Silkelersin üstünden gider...

Sabah geç kalktığın için geç kaldığın ama trafik bahanesini sunarak kendini kurtarmayı planladığın işinde patrondan azar yiyebilirsin.

Korkma...

Patron mu kalıyor ömrünün sonunda? Özür dilersin geçer...

Bir dilim ekmeğin üzerine Nutella sürerek basen ve karın bölgesi yağlanmana hizmet etmiş olabilirsin. Hem de uyguladığın taş devri diyetinin en başında.

Korkma...

Basen yürekten önemli mi? Beş kilometre fazla yürürsün, gider...

Terk edildiğini anladığın için terk etmiş olabilirsin.

Yalnızlıktan korkup sonuna kadar beklemiş olabilirsin.

Korkma...

Yalnızlık iki kişilik mutsuzluktan güzeldir.

Bir gün yine seversin, geçer...

Güzel günleri geçmişte sanıp, yaşanan her anı bir daha yaşaya-mayacağına inanıp, gelecekten korkabilirsin.

Korkma...
Gelecek geçmişe dönmeyince gelir.
Gelmezse adı zaten gelecek değildir...
Yeter ki sen geleceğe güven ve geçmişine yol ver.

Sakın korkma
Bir gün gelir, aynı gün geçer
Gelecek hep önümüzde durur
Bak
Sürekli arkana dönersen sen görmeden gider
Her şey çok güzel olacak inan
Sen yeter ki bana umuttan haber ver...

**" Madem senaryoyu
BEN YAZDIM,
niye benim yerime
BAŞKASI OYNASIN? "**

Nilgün Bodur // Sen Gittin ya Ben Çok Güzelleştim

*A*nılar, hayallerden daha fazla yer kaplamamalı hayatta. Hayaller hep büyük gelmeli.

İnsan o zaman genç kalır.

Anılar insanı yaşlandırır.

Hep bir hayali olmalı insanın.

Gerçekleşince yenisini bulmalı.

Gerçekleşmezse...

Öyle bir ihtimal var mı?

Evren senin için var olmadı mı?

Düzen senin için çalışmadı mı?

Nefesini alırken hiç duymadın mı?

Hücrelerine işlerken o kanıksadığın oksijen

hiç şükredip bir durmadın mı?

En büyük aşkın, yatın, katın, arabanın hayalini kurmadın mı?

Benim bir hayalim var mesela.

Gerçekleşmesi için yapacağım hiçbir şey yok aslında.

Bu sebeple kendime bakıyorum, aynaya güveniyorum, spor yapıyorum, arabada avaz avaz şarkı söylüyorum, suya bile limon ve tarçınla tat katıyorum, arkadaşlarımı ve ailemi seviyorum ve sadece kendim için yaşıyorum.

Merkezimi başkası yaptığımda, kızıyor evren sanki bana.

Kendim için yaşamaya yeni başladım.

Bu uğurda inanın çok yara aldım.

Ben mutluyken, dünya da gülümsüyor bana.

Ne bileyim, sanki komşunun kedisi bile bir başka bakıyor.

Apartmanın temizlik görevlisi benim için asansörü tutuyor.

Garson siparişi geciktirmiyor.

O park yeri hep bulunuyor.

Yalnız kalmaktan korkardım hep.

Şimdi zaten bu zamana kadar hep kendimle olduğumu anladım.

Eşlik etmişler bana idrak etme yolunda.

Başrolü kimseye kaptırmayacağım bu muhteşem oyunda.

Senaryoyu ben yazdım.

Niye benim yerime başkası oynasın?

Diyeceğim o ki:

Benim kendim için nefes almam yeter.

Gerisini evren halleder...

" YALNIZ KADIN,

AYNAYA BAKTIĞINDA,

yastığa başını koyduğunda,

KAHKAHA ATTIĞINDA,

bir Sezen şarkısında ağladığında,

GEÇMİŞİNE VE GELECEĞİNE

baktığında huzurluysa aslında

hiç ama hiç yalnız kalmamıştır... **"**

Nilgün Bodur // Sen Gittin ya Ben Çok Güzelleştim

𝒴alnız kadınlara acıyan gözlerle bakan bir toplumda olmak çok dokunuyor bana. Şöyle anlatayım Yalnızlığıyla huzurlu ve mutlu olmayan bireyler var aramızda ve sadece biriyle birlikte olmayı hayatının amacı yapan kadınlar örnek olamaz bir başka kadına... Yalnız kadın, istenmeyen, tercih edilmeyen, beğenilmeyen, zeki olmayan, dişi olmayan, dolma saramayan, çamaşır yıkamayan, bir baltaya sap olamayan kadın değildir. Yalnız kadın, kendisine yapılan hataları kabul etmeye gönlü varmayan, özgüvenini bir erkeğin aşkından kazanmayan, beğendiği Gucci ayakkabıyı almak için başkasının kredi kartına ihtiyaç duymayan, biri istedi diye değil, istediği için âşık olan, âşık olmak için toplum baskısını değil, mangal gibi yüreğini kullanan, çocuk yapmak için gecikiyorum korkusuyla karşısına çıkan ilk öküze bağlanmayan, bağlandığının öküz olduğunu anlayınca da, aman hangisi öküz değil ki diyerek kendini, onurunu, gururunu, benliğini hiçe saymayan kadındır. Yalnız kadın bir tercih yapmıştır. Önce kendini sevmeyi öğrenerek, toplumun tüm dayatmalarına karşı direnerek, hayatı da kendisiyle birlikte severek ayakta kalmıştır. Yalnız kadın, kendisine, çevresine, hobilerine zaman ayırarak çok da yalnız olmadığını anlamıştır. Büyük ve en doğru aşka kendini sevmeyi bildiği için yelken açmıştır. Kendisini onayladıktan sonra kimsenin onayına ihtiyacı kalmadığını anlamıştır. Tecrübeler edinip, hatalar yapıp, yine de kendinden vazgeçmeyip doğruları anlamıştır. Biriyle birlikte olmak ve her ne pahasına olursa olsun o ilişkiyi yürütmenin başarı olmadığının bilincine varmıştır. Kendini kaybedeceğine, diğerini kaybetmeyi göze almıştır. Yalnız kadın dolma saracağına gün gelip bir kitap yazmıştır ve birçok kadını bu şekilde yalnız bırakmamıştır. Bir gün dolma da saracaktır ama ister kocasıyla yesin, ister evladıyla, ister arkadaşıyla, gün gelip yalnız yediğinde de aynı tadı alacaktır. Yalnız kadın, aynaya baktığında, yastığa başını koyduğunda, kahkaha attığında, bir Sezen şarkısında ağladığında, geçmişine ve geleceğine baktığında huzurluysa aslında hiç ama hiç yalnız kalmamıştır. El gider, sen kalırsın... Sen sana yetmezsen, bu dünyada Instagram'a koymak için çektirdiğin mutluluk fotoları kadarsın...

❝ Hadi içeri
BUYUR
ve bana
HER ŞEYİ
UNUTTUR... **❞**

Nilgün Bodur // Sen Gittin ya Ben Çok Güzelleştim

$\mathcal{K}$apı çaldı. İçim kıpır kıpır. Yoksa geldin mi? Cebren ve hile ile unutturulmuş güvenim, kentsel dönüşüm sürecindeki riskli yapılar misali yıkılmış hayallerim, üç katlı, filli selpak havlu kâğıt ile silinmişçesine emilerek tüketilmiş enerjim, artık sadece serçeparmağımla kavrayabildiğim umutlarım var sanki kapının ardında.

Artık yaşayamayacağımı ve hatta yaşamak istemediğimi düşündüğüm bütün olumsuz duygular, "Biz böyle iyiyiz" telkiniyle heyecansız ama huzurlu bir yaşamı garantilediğimi bana hissettiren tüm farkındalıklar ve sessiz kaldığım için boğazımda bir yerde tıkanan ve bana yutkunmayı unutturan tüm kötü anılar, zil çaldığında sanki çil yavrusu gibi dağıldı...

Kapıyı açsam, ahmaklık; açmasam andavallık...

Ben, hiç kapımdan misafir çevirir miyim?

Zaten sükûneti tercih etsem, dizeler boyu acı çeker miyim?

Sıradanlığa meyletsem, yüzümde maskeyle hayat dersi verir miyim?

Aşkın acısına bile şükrederken, aşka sırtımı çevirir miyim?

Yanlış yapmamak için yalnızlığımı böyle güzel severken, bin kere öleceğime, bir kere ölmeye karar vererek acıları ve haksızlıkları böyle güzel tekmelerken; onsuz yaşayamayacağımı değil de, onunla daha güzel yaşayacağımı böyle güzel bekler miyim?

Ben kapıma geleni hiç gönderir miyim?

Kapı çaldı. Midemde öldürülmüş kelebekler vardı. Hepsi birden canlandı. Uçmayı unutmuşlar sanırım. Ama kıdemli olanları şöyle bir volta attı.

Dur bir topuzumu düzelteyim. Maske yapacak vakit yok. Cildime nemlendiriciyi şöyle güzel bir yedireyim. Firavun misali "eyeliner"ımı çekeyim. Rimelimi süreyim. Kapıyı sadece sana açtığımı sanma. Öyle hemen havalara kapılma. Bu fani hazırlık tüm o unuttuğum ve kapının ardında seninle birlikte beni bekleyen zamansız duygulara.

Kapı çaldı. Ölü kelebekler midemde kanat çırptı.

Seni hiç beklemiyorduk açıkçası. Önyargılarım bile hazırlıksız yakalandı.

Açtım kapıyı. Geç kaldığın için özür diledin.

Oysa tam zamanıydı.

Daha önce gelseydin, açamazdım, evde tadilat vardı. İşini bilmez ustalar ortalığı birbirine katmıştı.

Hadi içeri buyur... Ve bana her şeyi unuttur...